最強AI TikTokが世界を呑み込む

TikTok Boom

China's Dynamite App and the Superpower Race for Social Media

クリス・ストークル・ウォーカー 著
村山寿美子 訳

小学館集英社プロダクション

TikTok Boom
China's Dynamite App and the Superpower Race for Social Media

By Chris Stokel-Walker

First published by Canbury Press
www.canburypress.com

はじめに

「誰でも15分間は有名人になれる」。アンディ・ウォーホルのこの言葉が今ほど当てにならない時代はない。1968年にストックホルムで開催された展覧会のパンフレットに、このアメリカ人ポップアートのパイオニアは「未来には、誰でも15分間は世界的有名人になれる」と書き記していた。当時多くの人々を驚かせたこの突拍子もない予言が、2020年代にはある現実によって打ち崩されようとしている。ティックトック（TikTok）上では、スマホさえあれば誰でも数秒間は何億もの人々から知られる存在となり、そしてまた名もなき人となる。実際、ウケる自撮り動画を何本か作れば、ごく普通の生活から億万長者になることも夢ではない。ただウォーホルの時代と違い、平凡な日常から著名人へと変容を遂げるのに多種多様なメディアは必要なく、超高速で突然変異を繰り返すたった1つのソーシャルメディアアプリがあれば十分だ。そのアプリはなんと中国が所有し、謎のアルゴリズムによって制御されている。

すでに有名人であるかどうかは、ティックトックで成功するかどうかに関係ない。「ティックトックでは、いわゆるバズる可能性が誰にでもあるのです。あなたにはフォロワーがたった1人しかつかないかもしれないし、100万人つくかもしれません」とティックトック・イギリスの編集チームのチーフを務めるヤズミン・ハウは言う。イギリスで24時間のうちにアップされる160万本の動画の一部を、チームは毎朝9時にチェックしている（ユーザーのうち動画を投稿しているのはわずか9パーセントで、残りは閲覧のみ）。ハウとチームメンバーのアカウントは、ユーザーの閲覧履歴や興味に合わせたコンテンツを提供する非常に強力なアルゴリズムの影響を受けないようになっている。日々投稿される大量の動画を神の視点で閲覧し、そのまま飲み込むのだ。

ティックトックのアルゴリズムが作用するのは、どのアカウントをフォローしているかを示す〝ソーシャルグラフ〟ではなく、これまでどんなものと関わってきたかを示すいわゆる〝コンテンツグラフ〟である。1本の動画がほんの身の回りから世界中に広がっていけるのは、そのおかげである。「たとえば50人ほどのファンをもち、何かを突き破れる人たちから流行がどんどん生みだされていくのを、私たちは常に見ているのです」とハウは言う。「そこにはこれといった秘訣もなければ、魔法の公式もありません」

どうにも予測がつかないおかげで、ティックトックを通じて多くの有名人がとてつもない速さで怒濤のごとく生みだされている。たとえばカーティス・ローチ。コロナ禍で家に引きこもっている退屈さをラップにし、所持金12ドルの若者から一気にセレブなミュージシャンになった。スコットランドの郵便配達人だったネイサン・エヴァンズは、ティックトックで船乗りの労働歌（シー・シャンティ）をカバーし、夢のレコード契約にこぎつけた。1分前には私たちとなんら変わらぬ平凡な人間だった人たちが、デジタル世界の台座に座り、世界中から賞賛と羨望を受ける立場になっているのだ。

本書はそんな無名から有名になった動画投稿者――クリエイター――について書かれたものであり、またティックトックの成長と、それがポップミュージックから政治にいたるまで社会に与えた影響についても語られている。付け加えると……ティックトックをただのプラットフォームと見ていたのでは、より大きな考察の機会を失ってしまう。たしかにティックトックの成長は勢いがあり、華々しい。たしかにティックトックは新世代のセレブを生みだしている――その多くは先に登場したユーチューバーよりも若い。けれどもティックトックの成長は、これが中国企業によって開発され、今もなお中国企業に所有されているという事実がもたらす問題もはらんでいる。中国は長らく欧米企業のために携帯電話やコンピューターをただ製造するだけだった。だが、今や急速にソフトウェアやＡＩ（人工知能）の世界に参入しようとしている。中国は今後5年間で次世代のテクノロジー開発に1兆４０００億ドル以上をかける予定で、しかも国境を越える目標を設定している。それゆえ世界の中心都市ではティックトックをめぐり、ある議論が巻き起こっている。このショート動画共有アプリは、東側諸国（特に共産中国とアジア諸国）から西側諸国（主にアメリカやヨーロッパの資本主義諸国）への大規模な技術侵害のためのトロイの木馬ではなかろうか。あるいは、かつてシリコンバレーと呼ばれたカリフォルニア州サンフランシスコ・ベイエリアの130平方キロにわたる地域に集まる大企業が独占していた世界の中心的立場を、ただの一企業が狙っているのではなかろうか。肯定派も否定派も互いの意見は相容れず、両者の距離は遠いままだ。

ティックトック問題は、日常生活に必要なテクノロジーの未来をめぐるある種の代理戦争の様相を呈している。その結果が、スマホにインストールしたアプリの今後の方向性や個人データの行方を左右する可能性がある。この20年の間、西側諸国では、たとえば好きなパスタのブランドからどんな病気に罹っているか、あるいは下着のサイズにいたるまで、私たちの生活の超個人的な情報をアメリカを本拠とするＧＡＦＡ（グーグル、アップル、フェイスブック、アマゾン）に納得済みで引き渡してきた。その信頼が見当違いであることは、次々と起こるスキャンダルが証明済みだ。ティックトックを生みだしたのは、これらとは別の国、つまり国益のためなら個人の権利を犠牲にすることなどまったく厭わぬことを西側諸国が危惧している国だ。生活のあれこれがネット上でやり取りされる量が増え、それにつれて個人のデータや財産がシリコンバレーの少数企業の手に委ねられるのがいいか、最終的には中国政府が運営する企業のデータサーバーへと移行されるのがいいのかは、重大な問題になるのではなかろうか？

中国以外の国の政治家はたしかにそう考えているようだ。ファーウェイやその他の中国企業と並んで、ティックトックが西側の徹底的な批判や調査の対象になってきた理由はそこにある。ティックトックを真っ向から標的と捉えたのが、ドナルド・トランプだ。トランプはアメリカ大統領であった２０２０年に、ポップソングの口パク用ツールとしてティーンエイジャーから愛されていたこのショート動画共有アプリに対し、国家安全保障の観点から禁止令を出し、10億ドル規模のビジネスに影響を与えた。多数のサイバーセキュリティの専門家による分析にもかかわらず、同時期に行われたインド、日本、オーストラリア、ヨーロッパ、イギリスでの調査では、ティックトックから中国のスパイに情報が漏れているかどうかが焦点となった。他国の政治家たちも行動を起こす意志を示した。インドは２０２０年6月に中国国内で開発された58のアプリとともにティックトックを禁止し、２０２１年1月にはその措置を恒久化し、あとには家のない2億人のユーザーと職のない何千人もの労働者からなる熱心な観衆が残された。

ティックトックがアメリカやその他の地域で反撃に出たのも、その成長とパワーを考えれば当然のことだろう。いつまでもやまない不満はやがて、より広い範囲の地政学的戦いが起きかねないと警告する広報活動へと発展し、その後ティックトック側は「トランプ政権は数々の事実から目を背け、標準的な法的手続きを踏まずに命令を発し、民間企業間の交渉に口を挟もうとした」と抗議を表明した。それから3週間も経たないうちに、ティックトックはアメリカ大統領を相手に訴訟を起こし、政治的点数稼ぎのために通常の政府の慣行と米国憲法修正第1条および第5条を完全に無視し、グローバル経済の新たな駆動者の未来を危機に陥れたと申し立てた。もともとは超人気アプリがオンラインおよびオフラインカルチャーに与えた影響についての話だったものが、いつしか世界の2大大国間の乱闘に投げ込まれてしまったわけだ。

そこで本書では、ティックトックのストーリーを語ろうと思う。どこから生まれ、どのように社会を変え、どのように世界を支配するに至ったのか。ティックトックの内部に精通する人たちの協力を得ることで、ティックトックを生みだした企業がどう運営され、どんな目標を設定し、どこに向かっているのかを知ってもらいたい。読者には、世界でも群を抜いた速さで成長するアプリの複雑な系譜や、人気のある地域とその理由にも気づいてもらえるだろう。この企業が得意分野でグーグルに挑戦していることや、面白い動画で楽しんでもらう以上のことをやりたがっていることがわかるはずだ。大事なことは、ティックトックが世界に与えた規格外のインパクトを理解し、そのインパクトをめぐってますますヒートアップする議論が、よそ者を嫌悪する扇動的宣伝(アジプロ)から生まれているのか、あるいはデジタル過負荷や国家(政府)との関係における長期的未来についての根拠ある懸念から生じているのかを、正しい情報を得たうえで判断することだ。

だがそれ以上に、私たちはこの先25年以上にわたってティックトックの発展が世界中の人々にとって、そして安全保障、プライバシー、プロパガンダに関してどんな意味をもつのかを追跡することになるだろう。私たちは、ネット上で行うほぼすべてに関わる基盤で起こっている重大な変化の先端にいるのかもしれない。ネット上に登場するどの有名人が好きかとか、退屈なときにはどのアプリを開くかといった話をしているのではない。今まさに起きていることが、買い物のしかた、貯蓄のしかた、そして誰の手で私たちのデータが管理されるか——最終的にどこに行き着くのか——を決定づけるかもしれない。それこそがアメリカ大統領がティックトックの発展を抑え込もうとした理由であり、あの議論——中国との冷ややかな関係が続行するなか、次の大統領であるジョー・バイデンが熟慮している——の結末が非常に重要なものであるのも、そこに理由がある。

ときに、答えが質問に追いつかないこともある。それはただただ、ティックトックの支配がごく最近始まったものであり、その勢いがあまりにすごいからだ。歴史はまさに私たちの目の前で起きている。だが、この本を読み終えるころには、本を手にしたときよりはるかに多くの情報を得て、十分な知識武装をしたうえで議論に参加できるだろう。

目次

第3章 ティックトック成長の秘密

第6章 ティックトックと地政学

第7章

ティックトックの未来

第1章

世界規模の動画アプリという夢

1

サーバーダウン発生

テクノロジーにおいて、成功の最初の兆候は失敗である。それが、ソーシャルメディアの投稿がいきなりバズり、「いいね」や「お気に入り」の通知がやまずバッテリーの残量がなくなって、ついには真っ黒な画面を見つめることになるようなことであれ、限界に達したサーバーの一瞬の燃え尽きであれ、テクノロジーはスイートスポットに命中したことを知らせる術（すべ）を心得ている。とりわけ思いもよらぬ成功は、十分に練られた計画をコースからはずれさせることもある。たとえば、船を造る作業を想像してみよう。予想される乗船者数に見合ったありとあらゆることを計画していても、多くの人が船の上でジャンプすれば船首にひびが入り、水が船内に流れこんでくる。そして突然、船は転覆する。

アレックス・ジュー（朱駿）は中国有数の工科大学である浙江大学出身の自由な思想をもった土木技師であった。そんな彼が２０１６年7月22日の朝、中国の上海でその手に大成功を握っていると確信していた。当時35歳だったジューは、２０００年代および２０１０年代のウェブ会議アプリのシスコウェベックスとＳＡＰのビジネスソフトウェアの仕事に取り組んでいた。彼は同じく35歳の同僚、ルーユー・ヤン（陽陸育）と共同で口パクアプリ、ミュージカリー（Ｍｕｓｉｃａｌ．ｌｙ）を設立した。ミュージカリーとは、ポップソングに合わせて15秒のショート動画を作成するアプリで、当時ティーンエイジャーのあいだでセンセーションを巻き起こした。ユーザー10人中7人は現実世界の友人とアプリ上でもつながり、アプリを使ってみることでより親密さを実感していた。平均的ユーザーのフォロワーの半分は現実に親しい関係の人たちで、つまり、彼らは友人がアップしたものを見るためにアプリにログインし続ける傾向が強いということだ。

私たちが接続状態の悪いスカイプを通して会話をしていたころ、彼はまたサーバーがダウンしたことを伝えるミュージカリーのアメリカオフィスからの電話で叩き起こされていた。ジューは堅苦しいスーツ姿の筋金入りの中国共産党員とはかけ離れていたせいで、いつも自分はクリエイティブタイプだと考えていた。自分の仕事はデザイン起業家だとみなしていた。彼のソーシャルメディアのアカウントは、自分の名をそのまま使う形式どおりのものではなく、「ｋｅｅｐｓｉ lence（沈黙を守る）」「mylonelyhouse（私の孤独な家）」といった軽薄なフレーズを使っていた。あまりにミュージカリーの人気が出すぎたせいで何か問題にぶち当たったことはないのか、私が彼にそんな質問をすると彼は声を上げて笑い、「1100万のデイリーアクティブユーザーから送られるウェブトラフィックの量は、世界中にあるデータセンターの企業インフラと、超過トラフィックを処理するために継ぎ接ぎしたバックアップの両方を打ちのめしてくれたよ」と答えた。

事実、1億人というユーザーの大群がそんなこととは知らずに、そこのサーバーを6か月で壊滅させてしまっていた。ジューとヤンが初めてミュージカリーを思いついたとき、2人ともこんな急速な成長など夢想だにしていなかった。「アプリが最初にできあがったとき、拡張性を考慮した設計にはなっていなかったんだ」とジューはそう語る。彼の性格にふさわしく、当初はデータ〝問題〟に頭を悩ませることなどなかったと思われる。

たとえそうであっても、ミュージカリーに携わる人たちは、問題がいつ起ころうとそれに対処しなければいけないと認識していた。アプリユーザーは飽きっぽい可能性がある。サーバー停止によって数時間もアプリにログインできなければ、二度と戻ってこないかもしれない。西側諸国でアプリに人気が出るということは、つまり障害の多くが中国では真夜中に発生するということだ。サーバーダウンのせいで、エンジニアチームに眠れぬ夜があることも、強いストレスと極度の睡眠不足に陥ってイライラしていることも、知っている人はほとんどいなかった。「チームは満足な休息をずっと取れていなかったんだよ」とジューは話していた。

あまりに多すぎる乗船者の重さで沈みゆくサーバーをなんとか救おうと必死にがんばる一方で、ミュージカリーのエンジニアチームはアプリの容量違反を防ぐため、なんとかデータセンターと通信する道を回復しようと奮闘していた。あの7月の朝について話していたように、ジューにはビッグプランがあったことからも、それは重要なことだった。それまでは退屈なティーンエイジャーが時間つぶしに鏡の前でブラシをマイク代わりに歌っていたのと同じことをスマホを使って行うツールとして知られていたミュージカリーが、変化を迎えようとしていたのだ。「音楽に加えて、さらに文化的な様式を活用するんです」。ジューはミュージカリーに一つの未来を思い描いていた。そこではユーザーがスマホのカメラに向かってコメディの寸劇(スキット)を演じ、それを仲間と共有する。ユーザー自身の声を録音し、あるシーンを実演する。ユーザーの好きな歌に合わせて、ちょっとしたダンスを踊る。「動画フォーマットであれば、そんな世界が実現できると考えている」とジューは語った。「その背後にある基本的考えは、自己表現やソーシャル・コミュニケーションのためのあらゆるタイプの動画フォーマットなんです」。それによってミュージカリーが大規模なユーザー基盤をつくり上げることが可能になる、とても先見の明に富んだ決断だった。

のちにミュージカリーはティックトックとなり、世界中で２６０万人がダウンロードするアプリとなる。


ティックトックは抜群に使いやすい。まずスマホを手に取り、録画ボタンを押し、スワイプしてさまざまなフィルターを使い、15秒あるいは60秒以内の動画を撮影する。音楽の短い断片動画を追加するのもいい——ヒットチャートから取ってもいいし、ほかのどこから取ってきてもいい——そしてできあがった動画をアプリにアップロードする。さらに、見つけてもらいやすくするためにハッシュタグを付ける。動画の内容は、ユーザーが自由に決める。パルクールアーティストなら高層ビルのあいだを命知らずのジャンプで飛び移る映像。ティーンエイジャーなら寝室でダンスを踊り、政治的なメッセージを自分たちの姿にかぶせてキャプションとして画面上に映しだす。ある者は歌い、ある者は踊り、それを見つめる人たちもいる。そこには何の摩擦もない。ただただシンプル。直観的で中毒性がある。そしてユーチューブ以上に、ビューアーとクリエイターの境界が取っ払われている。

ティックトックはその短い歴史のなかで、あらゆる記録を吹き飛ばした。２０１８年1月、ティックトックの月間利用者数は５４００万人に達した。その年の終わりには2億７１００万人、翌年には5億7000万人まで増加した。2020年7月には6億8900万人が毎月ログインし、その数は2006年に設立されたツイッターの2倍である。2020年の第2四半期には、ヨーロッパで5000万人、アメリカで2500万人がティックトックを自分のデバイスにダウンロードした。5000万人のアメリカ人が毎日このアプリを開いている。アプリのオフィシャルデータによると、2018年1月の10倍に増加している。

これらはアメリカのハイテク大手が夢見ることしかできなかった数字だ。ユーチューブは設立から15年経ってようやく月間利用者数が20億人に達した。フェイスブックは13年かかった。ティックトックが現在の流れを維持できたら、おそらく4分の1の期間で同レベルに達するだろう。人々がハイテク技術を採り入れる動きには加速度がつくこと、そのうえ注目度ナンバーワンの新アプリならその噂はあっという間に広がることを考えれば、この成長についてある程度説明がつくだろう。だが大きな要因は、他より抜きん出ることでその成功を巧みに推し進めたティックトックそのものにある。

今になって思い返せば、あのさわやかな夏の朝、ジューが大胆な夢を描いていたのは明らかだ。彼に尋ねたことがある。当時10億人のユーザーがいたユーチューブやその他2つのアプリ、ライブ配信ができるペリスコープ、ショート動画共有サービスのヴァインに殴り込みをかけるつもりなのかと。彼は平然と、ミュージカリーは長い間この3つのアプリと競い合ってきたと思っていると答えた。彼はミュージカリーのユーザー基盤や利用者層に非常に満足していた。当時のユーザーの75パーセントは女性で、そのうち54パーセントは24歳未満――それは「想像しうるかぎりで最高のユーザー基盤」なのだ。「彼女たちには自由な時間があり、クリエイティブで、かつソーシャルメディアから片時も離れられない」と彼は説明してくれた。ユーザーの大多数はティーンエイジャーで、最も利用頻度が高いのは13歳から20歳、平均年齢は毎月徐々に上がっていく――ティーンエイジャーや子供たちがこのアプリを両親や祖父母に紹介し、彼らと一緒にミュージック動画を撮るからだ。このときの洞察が私の心によみがえったのは、3年半後ティックトック・イギリスの社長に、2019年はこのアプリにとって変革の年でしたねと話しかけたときだった。それまではクリスマスツリーのまわりでモノポリーを始めていた家族が、ティックトックの撮影をするようになったのだ。

「コミュニティを構築するのは、国家を運営するのと非常によく似ている」。2016年のインタビューでジューはそう話した。「一からコミュニティを築き上げるのは、新天地を発見するようなもの。まずその国に名前を付け、そこに経済を築きたければ、人口を生みだし、よその土地からの移住を誘い込む」

その当時、よその国ははるかに賑わっていた。そのなかから、ジューは経済がすこぶる順調なインスタグラムとフェイスブックを選び出した。ミュージカリーには人もいなければ、経済も存在しなかった。では、彼はどうやって人々を引きつけたのか？　ずっとよその世界に目を向けてきたジューは、ある昔ながらのアイデアを利用した。アメリカンドリームの約束だ。

フェイスブックやインスタグラムといった古い世界では、社会階級がすでに確立されており、人気度において普通の人が上に上がれるチャンスはほとんどなかった。それはユーチューブが長年抱えてきた問題である。調査によると、グーグル傘下のプラットフォーム（ユーチューブ）に動画を投稿する人たちの96・5パーセントはその動画に対する広告収入では十分に稼げず、貧困ラインに達してしまう。「その社会で階級を上げるチャンスはほぼゼロだ」とジューは説明する。だが新天地なら、集中型経済を運営することができる――ほとんどの富が人口のごく少数に流れ、まずその人たちが裕福になる。その後、彼らがロールモデルとなり、隣の芝生は青いことを見せつけ、少しでも多くの人を他のアプリからミュージカリーに移行するよう促す。それはティックトックにも引き継がれていくモデルである。

けれども、どこかの時点で富は浸透しなければならない。「アメリカンドリームをもつのはいいことだ。だがそれが単なる夢なら、人はいずれ目を覚ます」。それは新しいアプリ経済の上流階級や創設者にも言えることだ。たしかに、人々に新たなプラットフォームを使ってもらうには名声だけでも十分だ——だがいずれどこかの時点で、お金はどこから入ってくるのだろうと考えるようになる。「ひとたび名声をつかんでしまったら、それだけでは満足できなくなる」とジューは言う。「収益化が必要になるのだ」

ジューの夢は、ごく初期の段階ですでに驚くほど明確だった。彼は、複数の通信プラットフォームを単独のアプリに結びつける補助的アプリであるライブリー（Live.ly）を世に出したばかりだった。これはミュージカリーが口パクアプリのすき間市場から抜けだし、より一般的な動画アプリ市場へ参入するのに役立つと思われた。ジューとヤンがターゲットとした地域は、アメリカやヨーロッパに限らず、東南アジア、インド、日本、ブラジルにまで広がっていた。その頃には、〝ミューザー（muser）〟と呼ばれたユーザーはこれによって異なるタイプの動画を作ることができるため、年代が少し上の視聴者にも魅力を感じてもらえると思われた。ジューは13歳から20歳の若者だけを求めていたのではなかった。彼は20代や30代のユーザーも求めていた。

ジューには鋭い方向感覚、ビジョンの大胆さ、トライへの意欲があった。「うまくいくかどうかを知るには、多くの試みが必要。どこまで大きくなれるかを予測するには早すぎます」と彼は言った。

2

2019年コンベンションセンターの熱気

2019年2月にロンドンで開催されたヴィドコン。世界最大のネット動画配信者向けコンベンションが初めてイギリスに進出した。ヴィドコンはネット動画世界に関わる2種類の人たちをつないでいる。ロンドンでのイベント初日には、しゃれたスーツを着こなす熱心なデジタルマーケターがどうやって主力となる利用者層をつかむかを話し合っている。一方で、グロースハッカー――きまってダサい髪形に有名ブランドのTシャツから太鼓腹がはみだした中年男――がユーチューブで一発当てる秘訣を口々に漏らしている。

そして週末になると、あたりは異様さが増してくる。開催地の大ホールにはアイドルに会えた女子学生たちの黄色い歓声が響きわたる。テーラードスーツの人を見かけるのと同じくらい、L

GBTQ＋の旗を肩から垂らし鎖骨のところで結んだ人たちを見かける。ここではネット動画に関わる企業社会と文化の世界がぶつかり合っている。

ユーチューバーのハンク&ジョン・グリーンがヴィドコンを設立してから10年が経つ。その間にヴィドコンは、ホームビデオをアップロードするためのちょっと変わったサイトから途方もなく大きなものへと変容したユーチューブの台頭を反映するかのように盛り上がっていった。討論会や出席者の数が違ってきて、普通の客たちは有名人になってしまったデジタル動画のスターにはますます近づけなくなってしまったことなど、ヴィドコンでは多くのことが変化してきた一方で、変わらぬものが1つだけある。おもにユーチューブに関するカンファレンスであるということだ。

友人のゾーイ・グラットが、このあたりで時間をつぶしてもうすぐ始まるパネルディスカッションを見ようと言ったとき、私は最初躊躇した。そのパネルディスカッションのテーマが、名前は知っているがほとんど使ったことのないショート動画アプリ、ティックトックだという。どうにも関心がもてない。正午に始まる予定だが、私はユーチューバーのメンタルヘルスについての早朝セッションで司会を務めていたため、もう何時間も何も食べていない。

ティックトックがどこかよその人たちにとって大きな関心事であることはわかっていたが、私の知識は何層もの隔たりを通して屈折したものだった。ティックトックが人気があるのは知っている。だがそれは、アメリカ人以外の人たちがアメリカンフットボールリーグが莫大な年俸を払っているのは知っていても、それについてきちんと把握することも、それを気にする理由も考えたことがないのと同じだった。それでもゾーイがしつこくすすめてくるし、参加者のざわめきから離れた静かな場所で座っているぐらいのことなら我慢できるだろうと思った。こうして私はティックトックのパネルディスカッションに参加した。

そして、すべてが変わった。

ヴィドコンの小さめの会場で開催されるパネルディスカッションの多くは活気がなく、壇上のクリエイターや経営者、広告主、ブランド関係者は自分の仕事について語るばかりで、聴衆は関心なさげにスマホでメールのチェックをしていたりする。

ティックトックの会場での経験はそれとはまったく違っていた。まず第一に、子供に付き添っている親は締め出され、そこでは29歳の私がかなり年の離れた最年長だった。聴衆は一人ひとり髪を結び、頬骨にきらきら光るラインを入れていた。興奮して足を踏みならし、期待で思わず声を上げそうになっている。会話の趣旨や口調も違っている。パネリストがビジネスやＰＲ案件、プラットフォームが発展する見込みについて語る一方で、司会者が参加者からの質問を受け始めると、興奮しすぎた様子で腕が真上に高く上がった。一部の子供たちは、指をもうあと半インチ伸ばそうと座席の縁で体を揺らしていた。

目の前で展開される質問は、まるでジオラマのようにさまざまなことを明らかにしている。ユーチューブに関するパネルディスカッションは、たいてい広告1000回あたりのクリック数またはCPM（課金形式の一つで、広告が1000回表示されるごとに企業が支払う金額）、あるいは収益の流れを多様化するメリットについて議論されるのに対し、ティックトックセッションでの非常にタフな質問のやり取りは無邪気な子供からのものである。彼らは自分のアイドルにこんな質問をする。動画を撮っている最中に笑ってしまったらどうしますか？ 念のために言っておくが、ヴィッキー・バナム、ハンナ・スノー、ローラ・エドワーズをはじめとするティックトッカーが話したわけではない。

5か月後、アメリカ版のヴィドコンがカリフォルニア州のアナハイムコンベンションセンターで開催された。イギリス開催のものよりも規模が大きく、派手で精力的である。私は参加しなかったが、私のジャーナリスト仲間の多くが参加しており、私が2月に経験したのと同じヨハネへの啓示的なものを経験した。それを避けるのは難しかっただろう。つややかな髪にきれいな肌、完璧な日焼けと申し分のないスタイルの少年たちが、入念な振り付けでダンスを踊っているまわりにティーンエイジャーの集団が群がっている――ティックトック動画の生バージョンだ。突然、誰もがティックトックを話題にするようになる。

ビルボードチャートのトップに立ったリル・ナズ・Xの記録破りの成功は、おおむね『オールド・タウン・ロード』がお約束としてティックトック動画に使用されたおかげである。ビヨンセは曲のなかでティックトックを引き合いに出し、あのウィル・スミスさえもティックトックに参加している（彼がユーチューブに参加したのが2018年1月、インスタグラムが2017年12月。ようやくティックトックにアカウント登録したのが2019年10月）。

だが、新たなセレブリティがどんどん登場するのと同時に、アプリ分析も変わり始めている。ティックトックをめぐる会話は、ただ人気の理由を理解しようとするものから、さらに深い話題へと変化してきた。悪辣な理由から私たちの集合意識に潜り込む中国政府の道具になりうるのではないだろうか？　あるいは、子供の親と同じように、政治家が自分たちとは異質な存在をただ理解しようともがいているだけなのか？

3

世界規模では初の中国製プラットフォーム

ユーチューブや他の動画系ソーシャルメディアのプラットフォーム以上に、ティックトックはその展望において国際的である。世界中で利用され愛されているうえ、中国にとっては紛れもなく初のハイテク分野での成功である――そのことが厄介な問題とチャンスの両方を引き起こしている。

世界の他のハイテク大手――フェイスブック、ツイッター、ユーチューブ――はシリコンバレーで生まれたが、ティックトックは違う。ミュージカリー時代を含め、その歴史は深く中国に根ざしている。その中国との結び付きが一部の人たちに不安をもたらしている。

長い間、中国はアメリカのハイテク企業にとってただの工場であり、そこで安い部品を生産し、それを組み立て、地球の裏側の西側諸国の消費者に売るため輸送容器に積み込む。だが最近、そこに変化が生じている。世界のハードウェアの生産にとどまらず、中国はソフトウェアの輸出にも着手し始めた。よその国でデザインされた商品を安い労働力を活用するため、極東の国で組み立てる〝メイド・イン・チャイナ〟から、この国でアイデアを生みだし、それを西側諸国に広めていく〝クリエイテッド・イン・チャイナ〟へと変化している。こうしたグローバルイノベーションの筆頭格がティックトックなのだ。

その中国との結び付きが、アメリカやヨーロッパの地政学的なタカ派に大きな不安を与えている。彼らは中国製アプリやサービスが西側世界に押しつけられていると警戒している。彼らが心配しているのは、中国政府がソフト・パワーを行使し、私たちの生活に入り込むための企てではないかということだ。奇抜な動画やハッシュタグチャレンジは一見魅力的な姿で正面からするっと人の心に入り込み、思想を浸透させ、やがては個人の生活や働き方の大ざっぱなイメージをつくり上げ、個人を狙ったプロパガンダや情報工作を許すことになる。あらゆるテクノロジーへの不信感が募るなか、その懸念は拡大し、さらにフェイスブックユーザーの膨大な個人情報が、世界中の選挙運動で不正利用されるために吸い上げられたケンブリッジ・アナリティカ事件によっていっそう煽られた。ケンブリッジ・アナリティカ事件後の2018年、私たちはソーシャルメディアデータの価値をかつてないほど意識することになり、電力会社や個人がそれにアクセスできるようになると乱暴に取り扱う。ティックトックは動画を見るだけならアカウントを作成する必要がなく、デバイスを通してアクセスする必要もない——アプリを使ってスマホで見てもいいし、タブレット、ノートＰＣ、デスクトップＰＣなどの上のブラウザを使ってもいい。そしてデータが生成される。

さまざまな人々がそのデータに何が起きているかを理解しようとしている。２０１９年12月、あるカリフォルニアの大学生がティックトックを訴えた。アプリが自分のデータを中国のサーバーに送っていると主張したのだ。アプリ側はこれを強く否定しており、アメリカ人ユーザーのデータはヴァージニアのデータセンターに記憶されており、バックアップはシンガポールで取っている。アプリが中国と結び付いていることから、データがいったん中国の領土で記憶されると、中国共産党がそれにアクセスし、将来利用できそうな個人の生活や習慣に関する情報を識別するのではないかという不安が生じる。

ティックトックはティーンエイジユーザーのための娯楽にすぎないと考える人たちにとっては、これは新たな冷戦型思考が煽った古典的な警告である。ティックトックに対する懸念材料はたくさんあるが、ティーンエイジャーの寝室をのぞきこむのではないかという考えはリストの上位には入ってこない。とりわけ中国のスパイが、もしそれを望めば、アメリカが所有するインスタグラムやフェイスブック、スナップチャット、ユーチューブなどで同じ人のソーシャルメディアアカウントにログインし、まったく同じ画像や動画にアクセスできそうな場合でも。ティックトックがディープステートプロット（闇の政府の陰謀）であるわけがないと考える懐疑論者にとっては、ティックトックがソーシャルメディア全般に対する怒りを背負わされただけの不本意な犠牲者であることを示す証拠はいくらでもある。

ケンブリッジ・アナリティカ事件は世界中に衝撃を与え、大手ハイテク企業へのアプローチに対する姿勢を考え直す動きが出ている。かつては多くの人がソーシャルメディアのプラットフォームを、何事も迅速で人とつながりあえる生活を可能にする親切で役立つものとみなしていたが、ケンブリッジ・アナリティカ事件後は、「無料で何かを手に入れた途端、あなた自身が商品になる」というフレーズが意味をもち始めた。私たちの生活が売りに出されているのだ。

それ以降数年間にわたって、社会の最も弱い立場の人たちを過激化させ、子供たちの心を害し、性的対象にもする。そして私たちを中毒にしながら金を稼ぎ続けるハイテク大手に対する同様の懸念を長い間見てきた。企業側は政府に真っ正面から対抗できると感じていたようだ――2021年に入ってからのわずかな期間に、フェイスブックは自社とグーグルにコンテンツ用の支払いを強制する法案に抗議するため、1700万人のオーストラリア人ユーザーに対する新サービスを停止した。

ティックトックがデータの扱い方やアプリの利用を通じて私たちの関心のありかを知ろうとする方法において、アメリカのハイテク大手と何かしら違っているかどうかは、まだ疑問の余地がかなりある。何年も試みているにもかかわらず、その入札にはこのアプリが関わっているとも言われている中国の国家主席である習近平に直接つながる赤電話の証拠を、ジャーナリストはいまだに見つけだしていない。

そしてまだ不安は消えない。それはなぜか？

インターネットやそれに依存するプラットフォームやウェブサイトについては、ずっと西側諸国の問題で、焦点はぴったりシリコンバレーに合わされていた。ビル・ゲイツとスティーブ・ジョブズが、自宅の初代コンピューターが置かれるデスク上1平方フィートの支配をめぐる闘争にかかりきりになってからずっとその状態のままで、さらに21世紀の初頭にグーグル、アマゾン、フェイスブック、アップルが台頭したことにより、それが継続されてきた。だが情勢は変わっている。それはネットだけの話ではない。インターネット空間に中国企業が登場したことで、社会的にも経済的にも大きな変化がもたらされている。中国はここ数十年にわたって繁栄を続けている。

2019年11月、対米外国投資委員会（CFIUS）がティックトックおよびその中国人オーナーへの調査を開始した。調査は民主党上院院内総務のチャック・シューマーと2人の共和党上院議員、トム・コットンとマルコ・ルビオによりいくぶん不安を煽られるかたちで大々的に始まった。米国財務長官スティーブン・ムニューシン宛ての手紙で、ルビオがこう警告した。「世界中の自由社会で情報を検閲しようとする中国政府による悪質な活動は受け入れがたく、アメリカとその同盟国に深刻で長期的な難題をもたらしている」

その懸念は明白で十分に理解できる。政治家たちは国内法を通してアメリカのハイテク企業の最高経営責任者を政府の公聴会に呼び出し、中核事業の刷新をさせていたが、管轄外に本拠を置くグローバル企業の経営陣に命令を出すことはかなり厄介なことである。大手ハイテク企業の歴史のなかでも初めてのことで、強硬なタカ派の政治家は中国に対する姿勢はおおむね否定的なのだが、その一部からは明らかに反感をもたれていた。

「中国で成長した企業になぜ質問が向けられるのか、私たちは理解しています」とティックトック・イギリスと欧州担当ゼネラルマネジャーのリッチ・ウォーターワースが語ってくれたのは2020年8月のことである。「人々が質問を向けてくる地政学的状況は理解しているし、みな承知しています」。こうした質問が向けられることで、ティックトックはその透明性や開放性を説明し、懸念を抑えることができるんです、とウォーターワースは言った。ウォーターワースは元グーグルの経営幹部で、1年前に会社に入ってからも入る前もこの会社の中国での過去に懸念を覚えたことはありません、と言葉を続けた。

当初はそれでも、不安の一部には十分な根拠があると思われた。ティックトックをスクロールし香港についてのコンテンツを検索しても、それに関するコンテンツはほとんど見つからない。中国は香港を独立国家ではなく領土の一部とみなしており、2019年から2020年初めにかけ、独立を求めて重大で長期的な街頭抗議が行われている。以前にはガーディアン紙が、ティックトックから不審な素材あるいは不適切な素材を取り除く作業をするコンテンツモデレーターに向けたガイドラインを暴露した。それを見ると、このアプリがチベットと台湾だけでなく、北アイルランドやチェチェン共和国であっても、「独立を煽る」ような内容は許可されていないことを示しているようだ。中国において政治的に慎重な対応が求められるテーマも検閲を受けていた。たとえば、1989年に北京で起こった天安門事件に関係する動画などだ。ドイツの刊行物が暴露したコンテンツモデレーションのガイドラインによると、ティックトックはさらに、あらゆる政治的コンテンツ――中国政府から人前で映すには非常に問題があると判断された多くの事柄がたまたま含まれているもの――をすべて禁止している。ティックトックではガイドラインにいっさいの悪意はないとしている。「中国政府からコンテンツを取り除くよう依頼されたことは一度もありませんし、たとえ依頼されてもそんなことはしないでしょう。私たちは中国政府を含む外国政府から影響はいっさい受けておりません。ティックトックは中国では稼働していませんし、将来的にそうする意向もありません」。これが〝事実〟なんです、とウォーターワースは言う。「私たちは極力明白にクリアにしようと努めてきました。データはいっさい中国政府と共有したり移譲したりしていませんし、依頼されても渡すことはありません」

データについては、のちにもっと詳しく見ていくことにしよう。

4

中国vs.世界

北京で開催される全国宣伝思想工作会議の会合は、誰かの1年のハイライトではない。けれども、２０１３年の会議は同じく北京で8月に開催されたが、西側諸国でティックトックの台頭が懸念される理由を知りたがっている人たちには得るものが多い会議だった。

その会議で、新たに就任した国家主席の習近平と古くからの中国共産党で筋金入りの政治局員が、中国のイデオロギーについてスピーチした。だらだらと長くてとりとめのないスピーチのなかに横たわっていたのは、中国のインターネットの未来を習近平はどう見ているかについての興味深い一節だった。「西側の反中国派の力は、中国を倒すためにインターネットを利用しようと絶えず無駄な努力をしている」と習近平は聴衆に向かって言った。「中国が一歩も退かずにいられるか、インターネットをめぐるこの争いに勝てるかどうかが、中国のイデオロギー的、政治的安全保障に直接影響を与える」

中国にとって、国のインターネットの管理は国家安全保障にとって不可欠だ。かつて文化部の文化産業司司長を務めていた王永章の説明によると、文化は西側諸国にとっては「ほとんど問題にならない」概念であるのに対し、中国の検閲にとっては「最も厄介な問題」なのだそうだ。文化とは革新と自由な表現だ。それは社会を映すものであり、会話を変化させるものだ。そのすべてが西側諸国では既定の事実だが、中国の統治者には挑みかかってくるものだ。

不安定で抑圧的な政治体制によって、これまで人権侵害を犯してきたことを他国はみな知っているが、中国共産党はサイバースペースで何を言われていようと、それは国の方針に沿ったことだとして、その不安定な権力支配を維持している。それは世界で最も押しつけがましいデジタル監視と治安制度によるものだ（有名な話だが、中国版ツイッターであるウェイボー（微博）のようなソーシャルプラットフォームでクマのプーさんの話はできない。なぜなら、このキャラクターが習近平に似ていると思っている反逆的な反政府活動家が使う嘲笑的フレーズだからだ）。中国はグレート・ファイアウォール（金盾）に包囲されている――それは穴だらけで、デジタルトラックを隠す手段としての機能をもつバーチャルプライベートネットワーク（VPN）を使えば回避できるのだが――それでもなお強力だ。「現実と仮想との境界がどんどんあいまいになってきている」と2017年に中国サイバースペース管理局が記している。「サイバーセキュリティは国家や社会の安全にだけ関わっているのではなく、もっと大事なことに、すべてのネチズン（ネットワーク市民）の関心事に関わっているのだ」

中国が国のインターネットを完全に掌握するようになったのは、1996年2月、当時の国務院総理である李鵬が国務院令第195号を通して以後のことだ。これは、「コンピューターインフォメーションネットワークとインターネットを管理する暫定規則」などとおかしな呼ばれ方をしており、1年後には期限切れになったため公安部により強化された。

中国に入る、あるいは中国から出ていくインターネットトラフィックは、北京、上海、広州の3つの交換所を通る。そこで不適切な素材は公開されなくなる。けれどもたいていの場合、そんな必要は生じない。中国で稼働しているサービスやアプリは通過するためのルールを心得ており、それに従う傾向があるので、自分たちの意思を曲げて制度に合わせているのだ。

こうした手段を通して、中国はなんとか2000年にビル・クリントンが同一基準にしたものを実現した。つまり、比較的扱いやすいデジタル領域になっている。個人も企業もほとんどが自主検閲しており、それをしていない者がしばしば捕まっている。中国にやってきた西側諸国の企業は同じルールに従わなければならず、外向きには「文化基準への適応」と呼んでいるが、たいていは率直に「検閲」と呼ぶ方針を採用している。中国人のインターネットユーザーはリンクトインを利用できるが、そこで経験できることは西側諸国でのそれとは完全に同じわけではない。ヤフーは1999年に中国子会社を設立した。グーグルも1年後に同じように子会社を設立したが、その後去った。表向きの理由は、コンテンツの検閲に嫌気がさしたということだった。最近また、内々のコードネームがトンボというプロジェクトによって、再開を検討しているようだ。

中国で業務を行っている企業はどこも、政府からの要請に応じてデータを手放す覚悟をしなくてはならない。個人の場合も同じで、中国が所有するティックトックの利用もこれに当てはまる。信頼できるサイバーセキュリティの専門家がティックトックのコードを研究したところ、人々が最も心配しているようなものは含まれていなかった。つまり、西側諸国のユーザーのデータがいつの間にか北京の中国人スパイのパソコンの画面に上がっているようなことは、少なくとも従来の方法では起こらない。

とはいえ、やはり躊躇してしまうだろうし、それはまったく当然のことだ。やはり、習近平が「中国のいい話を世界に発信しなさい」と国民に繰り返しすすめるだけのことはある。ティックトックはこの場合の〝いい話〟の一つである。中国で生まれたこのアプリは、今や文化的なパワーの象徴なのだ。西側諸国にとっては、決めつけに慣れているのだろうが、中国の国内で業務を行うデジタル企業が中国政府に管理されることと、企業がやるすべてのことが管理されない状態とを分ける方法などない。理論上このシステムに入り、原則に従って登録した人は、実際もそうしなければいけない。

けれども、このシステム内にいる人は、たいていより実用的なアプローチに取り組んでいる。彼らはルールを口先だけでは褒めるものの、システムで仕事を区別する。私は個人的に、そうした状況をウエスタン大学でジャーナリズムを教えている中国人学生に見ることがある。彼らは何かについて話し合っていても、中国に戻ってそれをすることなど夢にも思っていない。なぜなら、自由に話す権利を与えられているシステムを知ってしまったものの、母国ではそれができないからだ。彼らはルールを理解しており、頭のなかで同時に2つの道徳観を保持している。

外の世界に目を向け、西側諸国で勢いをつけたコスモポリタンな中国のアプリを止めようとすれば、革新を鈍らせるリスクがある。競争はデジタル世界の大規模な発展に拍車をかける。そうなると、日常的に互いに影響し合っている企業が成功できるようになる。もし西側諸国が一部の市場参加者に参加を禁止し、その理由が自分の生まれた国と違っていて、彼らが文化基準や習慣を育てることに不安があるということならば、効果的な競争が抑え込まれ、インターネットが分裂弱体化してしまう。発展に寄与したあらゆるものが剥ぎ取られ、小さく分裂した不平等な場所になってしまう。

それもまた、アプリにとって奇妙な状況の変化である。このアプリは、構想を練って市場に出され、吸収合併や資本主義的競争を通して増強され、そして西側諸国のビジネスパーソンを研究した先見の明のある中国人起業家によって運営されているのである。

第2章

バイトダンスの開発戦略

5

AI搭載アプリで世界に挑む

「バイトダンスって知ってる?」。そう尋ねると、たいていの人はぽかんとした表情を返してくるだろう。バイトダンス(字節跳動)とはティックトックのオーナーであり、ほかにも世界トップレベルのアプリを運営する企業だ。2012年3月に創業され、2018年には日本のソフトバンクグループの出資を受けたことにより、その企業価値は当初の750億ドルから1800億ドルに跳ね上がった。そのアプリを世界で20億人が利用しているという事実にもかかわらず、2020年の収益は340億ドルと、バイトダンスは西側諸国のなかではあえて目立たない存在でいる。主役は商品だと考えているからだ。

それが、地味だが熱意に満ちた創業者、ジャン・イーミン(張一鳴)の戦略なのだ。彼の仲間でありライバルでもあるミュージカリーの創業者、同じ中国人のアレックス・ジューは独創的だが少々軽はずみなところもあるのに対し、イーミンは慎重でものごとに集中するタイプだ。アリババグループの元CEOで、押しが強く精力的で社交的な人物として知られるジャック・マー（馬雲）と比較すると、彼は少々鈍い印象も与える。だが、それはあくまで印象だ。彼は〝ディレイド・グラティフィケーション（Delayed Gratification）〟（将来のより大きな成果のために、目先の欲求を我慢する）を実践している。その合理的な性格——いつもTシャツとジーパンという衣服のチョイスからもわかる——のおかげで、彼は平均的な中国人経営者よりも、他人を気にせずのんびりしたところがある。たとえるなら、滑稽でピンボールのような性格のイーロン・マスクというよりはむしろ、いささか迫力に欠け、がっかり感のあるマーク・ザッカーバーグといった感じか。

イーミンは1983年、福建省の沿岸地方にある竜岩（りゅうがん）という町で生まれた。ここは中国でも西側諸国への移住の割合が最も高いことで知られる町だが、彼はすさまじく独立心が強かった。中国でハイテク業界に入る人の多くは既存の国内大企業への就職に満足するものだが、イーミンはそんなルートには目もくれなかった。既存の勝者に便乗し、手っ取り早く手に入れた成功に酔いしれる道は選ばず、遠い先を見越して着々と準備を進めていた。

彼は天津の南開大学でソフトウェア工学を学んだ。好きな生物学の講座は定員を超えており、最初に取ったマイクロエレクトロニクスの授業は好きにはなれなかったからだ。非常に勉強好きであったが、大学の仲間との交流も楽しんでいた。妻との出会いも大学だったが、それに加えて親しい友人の多くは、キャンパスや授業が終わったあとに彼が開くバーベキューの席で知り合った。多くの大学生が勉強と同じくらいパーティーに時間を費やすものだが、イーミンは違っていた。天津市にある南開区は中国の北部に位置する港湾都市で、北京のように賑やかな街ではなかったことも理由の一つなのだろう。だが、それが彼自身の基準でもあったのだ。大学での最初の2年間、彼はスティーブ・ジョブズの伝記やジャック・ウェルチのビジネス本『ウィニング勝利の経営』（日経BPマーケティング刊）をはじめとする多くの本を貪り読んだ。自身が崇拝するビジネスパーソンに関する本を読むことで、キャリアの選択や将来の計画にあたってますます気長に辛抱強くかまえるようになった。「偉大な人物は若い頃にはなんてことのない人生を送っており、その成功は時間をかけて徐々に得られたものだとわかるはずだ」とイーミンは出身大学の学生たちに語っている。「最初はみんなごく普通の人だったんだ」

2011年、大学を卒業して6年が経っていた。彼は人気の旅行検索サイト「酷訊（クーシュン）」やマイクロブログのウェブサイト（つぶやきサイト）「饭否（ファンフォウ）」など、中国国内の数々の新進ハイテク企業に勤務しては、辞めていた。あのマイクロソフトで働いていたこともあったが、厳格な企業思考と社内で当たり前のようになっている強力な監視体制のせいで、決して楽しい経験とはいえなかった。既存の企業に失望した彼は、自ら不動産検索エンジン「九九房(99Fang)」を設立した。

イーミンが新しいアプリ――今日頭条(トウティァオ)――のアイデアを思いついたのは、北京の地下鉄で通勤途中のことだった。大学時代に本を貪り読んだように、イーミンは新聞や雑誌を丸ごと読みあさっていた。「当時、情報伝達は非常に大きなビジネスだと感じていました」と彼は2018年に別の大学で学生たちに語っている。「情報伝達における効率の差は、個人の認識はもとより、社会全体における効率と連携に非常に大きな差をもたらすものなのです」

新聞が衰退しはじめると、イーミンは人々がニュースを知る方法がほかにもあると察した。「ふと気がつくと、地下鉄の中で新聞を読んでいる人がどんどん減っていたんです」と出身大学の学生たちに話している。彼はスマホの販売数を見て、2011年に一気に急増していることに気がついた。そして、ある結論に至った。「スマホが新聞に取って代わり、情報流通の最も重要なメディアになったと思いました」

もっと直観的に言うと、未来はAI――現在、バイトダンスのアプリやサービスの中核をなしている――が動かすだろう、そうイーミンは予見した。未来には、広告主の意向やその日何が読まれるかといった新聞編集者の判断ではなく、読者の興味に基づいてニュースのヘッドラインが提供されるだろう。イーミンは〝人々を情報で結びつけたい〟と思った。彼はソフトウェア工学を学んでいたもののＡＩシステムの開発についてはまったく知識がなかったが、そんなことはたいした問題ではなかった。彼はそれを学ぼうと考えた。大学時代にバーベキューで親交を深めた仲間が助けてくれるはずだ。九九房の日常業務については、それを引き継いでくれる実務家を雇い、彼はさらなるアプリの開発に没頭した。

それは、学ぶことが好きでつねにアンテナを張りめぐらせているイーミンがビジネス界の巨大なチャンスに気づいていたからで、今になって思い返せば、少なくともかつて彼が語っていたことなのだ。彼は２００７年に最初のｉＰｈｏｎｅが発売になるやいなやそれを購入し、ポケットの中にスーパーコンピューターが入っていることにわくわくしていた。バイトダンスの設立以前、九九房やその他の企業で働いているあいだに、モバイルインターネットがゆっくりと盛んになっていくのを目の当たりにしていた。２０１１年の終わりには、一つ飛躍をして新しい会社を起ち上げることを決意した。「それは多くの偉人の伝記を読んでいたことと関連しています」と彼は言う。「ビッグトレンドに直面しても、人はたいていそれに気づかず、あとになるまで何も感じていなかったりするものです。２０１１年、私はまさに科学技術の進歩が新しい分野を生みだすだろうと感じていました。大規模で深遠なイノベーションと大きな変化が起こるだろうと予測していたのです。この変化は今も止まることを知りません」

彼は世界規模の革命が起こると予見し、自分の会社をその中心的存在にしたいと思っていた。当初からバイトダンスは〝グーグルレベルにボーダーレス〟な会社になるべくスタートした。

バイトダンスは「内涵段子（ネイハンドワンズー）」というアプリを公開した。その名は大ざっぱに訳すと「匂わせ（ほのめかしの）ジョーク」となる。これは、ユーザーがインターネット・ミームをシェアできるシンプルなアプリだ。それは、たくさんのおもしろ画像が存在する画像ホスティングウェブサイトのイミジャー（Imgur）やGIF、Redditを折衷したようなアプリで、そこで多くの画像がシェアされている。

内涵段子は大人気を博し、最盛期には2億人のユーザーを抱えるまでに急成長した。インターネットの奇妙な一面をまっとうに受け継いだかたちで、このアプリのユーザーは最もコミットされた投稿者だったといえる。彼らはアプリとのつながりを賛美する商品を創造し、買い求めたのだ。彼らはコミュニティ以上のものを築きあげるために駐車場に集まり、写真を撮って自分たちの奇妙さを賛美した。彼らには、仲間のユーザーを見つけるために使っていた「On Earth」というやや破壊的な賛歌ともいうべきものがあった。ときには、赤信号で車を停め、ちょっとひねくれた心とユーモアを愛する気持ちをもった誰かが近くにいないか確かめながら、車のクラクションを使った暗号メッセージを発することもあった。そのうち、クラクションの音があまりにやかましく、あちこちで聞かれるようになってきたため、クラクションの使用禁止を発令する町まで出てきた。

バイトダンスは「トウティアオ」という新たなアプリも開発していた。アプリを開くたびに、ユーザーは自分の好みに合わせたニュース価値のある記事を提供される。そのデータ需要は膨大だ。ユーザーの読みたいものを特定し、大量の情報やニュース記事を取捨選択してユーザーに提供するには、リソースをきわめて集中的に消費する。2017年には、北京のトウティアオ・ドゥオーフビルと呼ばれた建物内で何百人ものエンジニアが働いていた。彼らは、会社のメイン会議室としての役割を果たすガラスで囲まれた中央の空間を中心に自由に並べられたデスクで、プログラミングや雑多な仕事をこなしていた。スタッフは急激に成長するべく、アプリを必死になって開発していた。中国のグーグルとも呼ばれる「百度（バイドゥ）」からバイトダンスに転職したあるエンジニアによると、両社の労働倫理は天と地ほどの差があったという。飛躍的な発展を遂げ、世間を騒がせている若い企業とそのアプリ、トウティアオはおおむね継続的に成長していた。社員はそれを、創業当初の混沌として無秩序なフェイスブックの1階にいるようなものだとたとえている（そして、バイトダンスはマーク・ザッカーバーグの会社と並ぶほど大きくなり、高く評価され、現在のフェイスブックと同じくらい人々の生活において重要な役割を果たすだろうと信じている）。

バイトダンスの副社長ヤン・チェンユアンの話によると、２０１８年にトウティアオは１５００ペタバイト、つまり15億ギガバイト以上のデータストレージを使用していた。さらに、１日に処理されるデータ量は50ペタバイトで、それはネットフリックスで2時間のＨＤ動画をおよそ２００万本分流すのに匹敵する。もっともトウティアオにそれだけのコンテンツがあったわけではないが。このアプリは公開当初、元の報道機関の許可なしに集めた記事をアプリ内で提供していると批判を受けていた。また、元記事にある他の商品の広告が新たな広告に替えられ、トウティアオを通して販売されることで、アプリ側が上前をはねていると主張する声まで上がっていた。その戦略において、イーミンとバイトダンスの味方は多くなかったが、トウティアオにユーザーを引き込むことには成功した。２０１２年8月の公開から3か月で、トウティアオは１０００万人のユーザーを獲得した。

ユーザー数は増え続け、ユーザーがアプリを開いている時間もどんどん増えていき、毎日1時間以上になっていた。さらに、ＡＩのパワーによってアプリはより〝粘着性のあるもの〟、つまりより関わり合いを深め、ユーザーを夢中にさせることができるものになるとイーミンが気づいたことから、アプリ内でのあらゆる操作が追跡され、次回の体験をさらに楽しめるよう利用されている。ユーザーがコンテンツ内をどうスワイプしているか、どこをタップしているか、記事をスクロールし、どこで手を止めているか、利用の時間帯はいつごろか、どこで使っているか、といった情報を活用したきわめて有効な改良体系で、トウティアオをさらに魅力的なものにしている。

「大学を卒業後、取り組んだものが検索エンジンであれ、ソーシャルネットワークサイトであれ、そのすべてが情報流通に関わるものだったのです」。イーミンは出身大学の学生たちにそう語っている。「検索エンジンは情報流通を系統立てたものであり、ソーシャルネットワークサイトは人々を情報の流れのノード（ネットワークの接点）にして情報の流れを系統立てるものであり、レコメンデーションエンジン（おすすめ機能）はユーザーの関心を捉えてうまく活用し、情報流通をより細かく体系化している」と彼は話す。つまり、バイトダンスの企業としての発展のコアとなっているのは、イーミンがその考えを心に刻みつけた創造、推奨、情報流通なのだ。彼は社内に効率工学部門を設け、組織内のコミュニケーションの流れを改善している。

イーミンはスマホで使えるＡＩ搭載アプリが未来に続く道だと気がついた。しかも、彼にはそれらを発展させるための財政的支援もあった。トウティアオが成功したおかげで、投資家がバイトダンスへの投資に群がった。寝室が4つのアパートから始まった会社にとって、それは驚くべき成功である。わずか10平方メートルたらずの寝室のいずれかをその時々のミーティングルームとして使い、初期のバイトダンスの従業員たちは家具の合間にひしめきあっていた。トウティアオの公開から1年もしないうちに、イーミンはすでに、AI搭載モデルなら世界を相手にできるだろうと話していた。経営陣に対しては、明確にこう宣言している。「バイトダンスは商業化と国際化に挑む」つもりだと。2013年1月に経営陣向け資料のスライド24で提示された未来への4部構成のプランにおいて、パート4は英語圏のユーザーを獲得するためにトウティアオの英語版を構築するプランである。当時、スマホユーザーの注目を奪い合い、競争が激化していた。動画ビューアアプリの競争だ。

6

ミームこそ重要

私がユーチューブと関わるようになったのは友人のフレーザーのおかげだ。いつの間にかジャーナリストとして、これが世界で2番目にアクセス件数の多いサイトになるまでの曲がりくねった道のりを記事にするのが仕事になっていた。ティーンエイジャーの頃、私たちは家でテレビの前に何時間も座り、ユーチューブのアルゴリズムがすすめてくる動画を片っ端から見ていた。ヴァイン（Ｖｉｎｅ）と関わるようになったのも、きっかけは彼だった。

ティックトックの精神的先祖ともいうべき動画共有（配信）プラットフォームであるヴァインは、２０１３年1月に発足した。イーミンがバイトダンスを設立して1年も経っていなかった。

ヴァイン上の動画はすべて6・4秒以内に収められている。そこからオンライン動画の大スターが続々と誕生し、その影響力はアクティブアプリが通常すすめてくる数年よりも長く続いている。ヴァインがなければ、ショーン・メンデスやジェイク・ポール、レレ・ポンズ——どれも若者たちにはおなじみの名前だ——といったスターを知ることもなかっただろう。だがヴァインはその最盛期を迎える前に、ネットで得た名声を長期的なキャリアに変えたい者たちの最終目標ではなく、あくまで次のステージへの踏み台という悪評を得てしまった。その意味で、ヴァインは運に恵まれなかった。その人気は、ソーシャルメディアがまだ確立したエンタテインメントのプラットフォームではなかった時代と重なってしまったのだ。従来のメディアは傲慢にも、当時の小さなスクリーン上のスターを〝インターネットセレブリティ〟や〝ソーシャルメディアスター〟と呼んで排斥した。それはまだユーチューバーがテレビ番組に出演し、ツアーを組んでスタジアムを満席にしたり、音楽チャートのトップに躍り出たりする前の時代だ。メディアも味方ではなかった。アップできる動画の時間が非常に短かったこともあり、ヴァインのスターたちには選択肢がほんの少ししかなかった。超高速のコメディスキットを演じるか、人々の周りで跳び回って面白がらせるぐらいのことしかできない。それではプラットフォーム上で視聴者にコネクトできないし、パラソーシャルな関係——一般人とは住む世界が違う映画スターとは一線を画す、新たなメディアセレブリティとの友情に似た関係——を築くこともできなかった。

とはいえ、ヴァインは何の制約も受けないクリエイティビティの源でもあった。それはもう奔放なまでに。ヴァインを開くと、受け入れギリギリのニヤリ顔、常軌を逸したへま、突拍子もない行動でいっぱいの騒乱のなかに放たれたような気分になる――ときにはそうっと間違った側に入り込んでしまうこともある。そこにいるのは創作力と創造力にあふれたスゴイ人たちだった。小さなミームが大きな勢いを生みだし、それがユーザーたちのあいだで広まった。

11歳の少年がスケートボードをするユーチューバーの動きを一つひとつ目で追っていたことから生まれたものもある。グレゴール・レイノルズは、タイ・モスがユーチューブにアップした動画ならどんなものでも見ていた。ヴァインが世界中のアプリストアで公開された日、モスはヴァインのレビューをユーチューブに載せた。グレゴールはすぐさまそのアプリを自分のスマホにダウンロードし、それに関わり始めた。

その頃、グレゴールの父スチュアートはずっとふさぎ込んでいた。彼のウェブ開発ビジネスはうまくいっていなかった。2か月後、大きな契約の更新が途絶え、会社の評判が落ち、定期的に入っていた仕事もなくなり、会社をたたまざるをえなくなった。「それはもう壊滅的な破綻でした」。スチュアート・レイノルズは後悔の思いとともに当時を振り返った。彼は2年ほどふさぎ込んでいて、本人の告白によると、とにかく鬱病と差し押さえだけは寄せ付けないようにしていた。学校で秘書をしていた妻の給料では生活費を賄うこともできなかった。息子のグレゴールからヴァインという新しいアプリの話を聞いたとき、スチュアートはその名前を聞いたことはあったが、それが成功や富への切符になるとは思いもしなかった。彼はただ毎日笑える理由が欲しかった。何日も眠れない日が続き、ほんの少しほほえむことすらできずにいることに気づいていたからだ。

ある日、妻は仕事に出かけ、2人の息子はカナダの学校に通っているあいだに、スチュアートはただヴァインを見ているだけでなく、自分の作品も作ってみようと思い立った。ただ、こんな親父がカメラの前に立つのはどうかと思い、彼は10歳の頃から大事にしていた『スター・ウォーズ』のキャラクター、チューバッカの12インチほどのプラスチック人形を手に取った。そして、何ともばかばかしいスキットをアプリ上で演じ始めた。それは、週末になるとつらさを紛らわせに通っていた酒場の仲間たちにならウケそうなものだった。

ユーザーネームはブリトルスター(意味はクモヒトデ)といい、2013年8月には相当数のフォロワーが付いていた。彼をソーシャルメディアの最高点に押し上げたのは、『Put Your Finger on the Screen(指をスクリーンに置いてみて)』と呼ばれる動画だった。赤レンガの壁の前に立つメガネをかけたつんつんヘアの親父が「スクリーンに指を置き、上下に少しずつ動かしてみて」と視聴者に頼んでいる。彼は一瞬立ち止まり、点滅スイッチをはじいて点けたり消したりする。

スチュアートは、ちょうど子供たちが学校に着く9時20分頃にヴァインに動画を投稿した。彼らがランチの列に並ぶ頃には、いいねが10万を超えていた。スチュアートのフォロワーは約35 00人から10万人を超えるまでに膨らんでいた。彼はウケる型を見つけだし、それを使いまくった。翌日、同じ発想でまた別の動画を投稿した。今回は、ユーザーがスクリーンに指を置き、それを小さく動かすと、オレンジスカッシュがパイントグラスの縁からあふれ出す。これも同じく成功した。


1週間同じ型を使い続けると、スチュアートはそろそろ新しいものに挑戦しないといけないと感じた。彼は新しいアイデア『Summer's Not Over（夏はまだ終わっていない）』を試してみた。冬の吹雪の真っ只中、1本の木に1枚の葉っぱがついている。その木に見捨てないでと頼むと季節が変わる。これもうまくいった――しかも、これがディズニーの目に留まり、ツイッターでプライベート・メッセージが送られてきた。「当社とのコラボレーションに興味はありませんか？」

ほどなく、レイノルズ一家は全員カリフォルニア行きの飛行機に乗っていた。費用はディズニーがもってくれた。ディズニーのためにトータル5本のキャンペーン動画をヴァインで制作したことで、彼の人生は一変した。「私たち一家は壊滅的なビジネス危機に陥っていたんだが、そう財政的にね、いったいどうやって借金を返せばいいのかと思い悩んでいたら、ディズニーがたった6秒の動画2本に5000ドルを支払ってくれ、その他諸々の費用も払ってくれて、人生が一変したんだよ」と彼は語っている。スチュアートはヴァインの仲間たちとも出会い、バラク・オバマにホワイトハウスに招待されて、カナダの首相ジャスティン・トルドーの初のアメリカ公式訪問を歓迎する代表団の一人になった。

スチュアートがヴァインを気に入ったのは、別のジャンルでそれまで何年も貪り読んでいたものと似ていたからだ。それは新聞の漫画だ。漫画との共通点を考えれば、ヴァインのどんな点がなじみやすかったのかがわかる。新聞の漫画には3つか4つのコマしかない。最初に状況設定があり、最後にオチがつく。それが面白くなかったとしても、たいした時間を無駄にするわけじゃない。2010年代初期から中頃にかけて、ユーチューブが主流だった世界では見慣れないことだった。「ショート形式のコンテンツはうまくいかなかった。多くの人が6・4秒で人を楽しませるコンテンツの作り方を学んだんだ」とスチュアートは言う。「これは大げさでも何でもなく、ヴァインなら2時間で何百もの作品を見ることができるんだ」

ヴァインはセンセーションを巻き起こした。そのせいで成功したクリエイターのなかには、成功の果実をもっと味わいたいと考える者も出てきた——それがヴァインの悩みの種となった。

7 クリエイターに報酬を与える

ヴァインは公開から2年後の2015年には困難な状況に追い込まれ、オーナーはどう対処していいかわからずにいた。ちょうど急成長した写真投稿サイト、インスタグラムの買収に失敗したツイッターがヴァインを買収した。その後もヴァインはツイッターのニューヨークオフィスの別フロアで独立的な運営を許された。

インスタグラムは新たにオーナーとなったフェイスブックのもとで動画投稿機能を開始し、ヴァインのユーザー基盤に食い込んできた。1日あたりのヴァインの利用者数――人気の主要基準――は低迷していった。問題はヴァインがクリエイター――アプリのコンテンツを作る人たち――をつかんでおけなかったことだ。ヴァインはクリエイターたちを露骨に蔑ろにしていた。

ヴァインのオーナーはプログラミング畑の人間で、アプリの発展に貢献してくれる才能と関わり合おうとしなかった。ヴァインのクリエイター開発部門のトップ、カリン・スペンサーはこう話す。「実際のところ、ヴァインにはクリエイターが利益を生みだすために何ができるかを話し合ったり、計画したりすることを毛嫌いする傾向が顕著でした」

だが、その状況は続かなかった。ヴァインでの職務に就いて3週間が経った頃、スペンサーは呼び出しを受け、非常事態だと告げられた。利用者数が減少しているだけでなく、ヴァインではもう稼げないと察したトップクリエイターたちはおざなりな作品作りをするようになっていた。動画のアップは続けていたものの、それは広告収入が見込める他のプラットフォームへファンを誘導するものだった。スペンサーは不満を封じ込み、クリエイターをつなぎ止めておけるような世界的規模の才能開発戦略を考案してほしいと頼まれた。それは非常に難しい任務だった。なにしろヴァインのスタッフは、ヴァイナー(ヴァインのクリエイター)に対して真っ当に成功したいと語りかけたことなどなかったのだから。「私の認識では、ヴァインのスターたちはデジタルメディア界で貴重な存在となり、エージェントやマネジャーを付けてそのブランドで稼いでいたのに、ヴァインでうまくいかなくなって、会社の誰かに話を聞いてもらいたかったときにそれができなかったんですよ」と彼女は笑いながら話した。世界で最も成功したヴァイナー——その名と顔を見れば誰もがこのアプリを開いてしまうような——のなかには、一般の問い合わせ用アドレスにメールを送って去って行った者もいた。

それは怒りと憤懣を招き、スペンサーは早急に対応しなければならなくなった。彼女はクリエイターを3層に分け、ヴァインと再び良好な関係を築いてもらう計画を立てた。クリエイターの3層とは、まず新興のクリエイターで1年先にはまだスターになっていないだろうが、スターになるためのサポートを必要とする層。次にミドルレベルクリエイター、少しおだてながら本物のスターを目指してもらう層。そしてトップレベルクリエイター、それぞれに合わせた個別のヘルプが必要な層。この計画のなかで彼女が最初に行ったのは、カリフォルニア州のヴェニスでヴァイン最高のスターといえるアンドリュー・バチェラーのイベントを開催することだった。彼はカナダのコメディアンで、ヴァイン上ではキング・バーチの名で知られている。イベントは、その前年に業界団体から受けたいくつかの賞を祝う名目で開催された。「誰もが認識しているのは、キング・バーチがトップヴァイナーだということで、ヴァインではないんです」とスペンサーは理由を語った。新たな体制が生まれては、状況は変化していく。クリエイターがヴァインのロゴがついた商品を手に入れれば、ヴァインとつながっているという感覚をもちやすくなる。彼らには、ヘルプが必要になったときの連絡先となるパートナー・マネジャーを付けた。

この戦略は新興クリエイターやミドルクリエイターには効き目があったが、トップクリエイターにはある種の特権意識があった。彼らはロサンゼルスの高級マンション街、1600ヴァインストリートで一緒に暮らしていた。そこはソーシャルメディア界で大きな成功を収め始めた新たなメディアセレブリティに人気を博し、結果的に2015年版『アニマルハウス』といったものになっていた。そのプラットフォームでは、誰もが他人の不満を燃料にしていた。彼らがヴァインに対してあからさまな敵意をもっていたのは、自分たちがヴァインの人気に貢献しているという自負があったからだ。彼らは蔑ろにされたことに腹を立て、きちんと報われたいと思っていた。

トップクリエイターのうち18人がスペンサーに会って非開示契約を結ぶよう求めた。「彼らはみな、根本的に自分たちが仲間だと思っていたのに、そのプラットフォームからは大切な存在だと認められたことが一度もなかったと、非常に怒ってわめき散らすのを、少なくとも1時間は聞いていました」と彼女は話した。クリエイターたちはある作戦に乗ってきた。自分たちが集団で同時にヴァインを去れば、ヴァインの成功をぶっつぶすことができるだろうと考えた。感化されやすいアプリのユーザーたちに対し、自分たちは大きな影響力をもっていると確信していたからだ。

彼らはそれから要求を出してきた。1年間にわたって週に3本の投稿で120万ドルを求めた。スペンサーは打ちのめされながらも得意げに会合の場を離れた。彼女は18人まとめて120万ドルを要求されたと思っていた。計算してみた結果、1年間つまり52週間、毎週3本の動画を投稿してもらえるなら適正な価格だと思った。ヴァインのトップスターたちによって向こう1年間は安定したコンテンツを提供できる、そのあいだにともに背水の陣を敷くミドルクリエイターを育てていけば、たとえ12か月後にトップスターたちが去っていったとしても（おそらくそうなるだろうと彼女は予想していた）、それに代わるスターたちを用意できる。スペンサーは良識的な判断で逃れることもできただろう。ヴァインでは、リーダーに対してそれなりのサポートが付いていたのだから。

それから2つのことが起こった。ヴァインのリーダーたちはこの会合の結果を報告し、次のステップはツイッターの取締役会だったが、そこでは抵抗を受けた。ツイッターはコンテンツに対し誰かに報酬を払うことに慎重になっていた。金の要求先がヴァインから赤字を抱える名祖のプラットフォームへ移るのを恐れていたのだ（スペンサーは、ツイッターが別の目的で利用されることになるとは思ってもいなかった）。同じ頃、18人のトップスターたちの代理人が要求を正式な書式にしたものを送りつけてきた。それは合わせて120万ドルの要求ではなかった。彼らは一人ひとりに対し

120万ドルを要求していたのだ。ツイッターは金を払いたがらなかった。ヴァイン自体は赤字だったので、ツイッターからいまだ資金提供を受けていた。「クリエイターたちとの会話は難しいものがありました」とスペンサーは話す。ソーシャルメディア・セレブリティたちは要求したものを手に入れられそうになかった。

ようやく意味が通じると――あるいは通じないと――ビッグクリエイターたちは企業に対抗するためのサポートを集める意図で、ほかのクリエイターたちに評判を広め始めた。だが、それが裏目に出た。コミュニティ全体として、なぜ彼らがそれほど多くの金を欲しがっているのか疑問に感じていた。ブランド取引（ブランドと組んで動画を制作し、ブランドから報酬が支払われる）をしている多くのヴァイナーは、わずかな報酬にも感謝している。彼らはプラットフォームのクリエイティビティに夢中になっているのであって、稼げるかどうかが問題ではない――だから、彼らにはソーシャルメディア上でちょっと運に恵まれた鼻持ちならないティーンエイジャーが、なぜ平均賃金の何倍もの報酬を得るに値するのか理解できなかった。

結局、トップクリエイターたちは去って行った。すでに半分出て行っていたようなものだったが。ヴァインがサービスを終了した大きな理由は、トップスターを失ったからではなく、優秀なリーダーがいなかったからだ。多くの視聴者を惹（ひ）きつけたにもかかわらず、そのプラットフォームから十分な報酬が得られなかったせいでトップスターたちを失ったヴァインの例は、前任者の二の舞いは避けたいと考える、鋭い洞察力をもったソーシャルメディアの起業家にとって明確な教訓となっただろう——その起業家こそがジャン・イーミンだ。実際、ヴァインからは2つの教訓が得られた。第一に最高のパフォーマンスを見せる（かつそれなりの報酬を要求する）クリエイターを決して蔑ろにしてはいけない。第二に彼らにあまり大きな力を与えてはいけない。ここで、ティックトックの話に入る前に、世界の優れたショート動画アプリに欠かせない特徴を備え、いずれバイトダンス・ファミリーの一員になる2つのアプリのストーリーを紹介しておこう。

8

ＡＩ企業を続々と買収する

バイトダンスの物語を端的に表すと、発明の才とリソースの巧みな配置、一連のアプリで必要とされるスキルやソフトウェアの獲得と集約される。ミームやニュースのヘッドライン、あるいは気軽に楽しめるショート動画を提供するのが中国であろうが、ほかの地域であろうが関係ない。だが、ティックトックの台頭について語るなかで、人々が往々にして見落としがちなのは、その成長を勢いづけたのは買収だったということだ。バイトダンスはその存在期間に少なくとも17の買収を行った。そのうちかなりの数がＡＩ企業の買収だ。たとえばジュークデック（Ｊｕｋｅｄｅｃｋ）というロンドンに本社を置くコンピューター作曲サービスは、２０１９年に買収されバイトダンスに組み込まれた。バイトダンスの社内チームと合体し、ティックトックの背後にいる企業のテクノロジーがこうした買収によって拡張され、その結果、世界中で急速な発展を遂げるに至った。

買収の一つに関わっていたのがジョン・ボルトンだ。当時、彼は気持ちをくじかれていた。2020年の夏の朝、私たちはスマホで軽いおしゃべりをしていた。背後で車が音を立てて行き来し、子供が遊んでくれとねだる声が聞こえるなか、この家族思いの男はその事実を素直に認めた。

その3年前の2017年、ボルトンは頭を掻いていた。2014年4月、彼はフリッパグラムという企業に加わった5番目の男となり、この会社の派手な造りのロサンゼルスオフィスで、ショート動画をトップチャートの音楽に載せて記録できるアプリ、ブーム（Boom）を見ていた。その後3年も経たないうちに、このアプリは3億回――膨大な回数――もダウンロードされ、2014年のほんの数週間のうちに大流行を果たした。同時にそれは世界の180か国でダウンロード回数ナンバーワンのアプリになった。

フリッパグラムは投資家から7000万ドルを集め、2010年代後半に最も世間を賑わせたソーシャルメディアの一つだった。買収を申し出る者が次々と現れたが、そのうちの1社は創設者たちの注目を集めるのに十分な業績を上げていた。社員たちはグーグルやフェイスブックやアップルに社員ごと引き受けてもらえるのではという期待で色めき立った。

当時、ボルトンと同僚たちがフリッパグラムにリンクされた名前を見て、困惑したのも無理はない。「バイトダンス」と言われてもピンとこなかった。グーグルで新しい上司について調べても、事態は変わらなかった。「がっかりしたよ」とボルトンは素直に認めた。「バイトダンスなんて聞いたこともなかったし、中国のテクノロジー企業が中国以外で成功したことなんてあっただろうか？」

イーミンにとって、フリッパグラムは魅力的な提案だった。非常に強力なコンテンツを生みだすツール——日常的にユーザーが使いたいと思っているチャート入りしたヒット曲や動画を飾り付けるフィルターや、スタンプに簡単にアクセスできるツールだ。だが、それがどうユーザーの役に立つかはわからなかった。人々はフリッパグラムで動画を作るだろうが、それをこのアプリに投稿するのではなく、完成した動画を保存し、別のソーシャルネットワークで開いて、そこに投稿する。このアプリが人気を得たのは、動画にはそれがフリッパグラム内で作られたことを示すウォーターマークを付けて別のアプリに持ち込まれることで、より多くの人がその動画をチェックするようになったからだ。それはのちに、ティックトックが人々の意識のなかにするりと入り込んでいくためのヒントとなった。

それ以前からバイトダンスは、情報収集アプリのトウティアオで磨きをかけ、自社の別アプリで微調整した強力なレコメンデーション（おすすめ）システムを所有していた。そのシステムのおかげで、コンテンツの種類に関係なく、人々が望んでいるものを本質的に理解することができた。それぞれがもっていないものを、相手が提供してくれる。この関係は完璧にフィットすると思われた。問題はシンプルだった。

「イーミンは言ったんだ。〝当社は必要なテクノロジーをすべてもっている。御社は必要なコンテンツをすべてもっている。一緒になったら何が起こると思いますか？〟」とボルトンは振り返る。彼は自身の新事業であるＡＩを使ったオーディオプラットフォーム、〝スーパー・ハイ・ファイ〟の計画にこの３年間を費やしていた。

その答えは成功だった。バイトダンスはフリップグラムを買収し、ボルトンは北京での滞在を増やし、バイトダンスのために働いた。この会社の労働倫理は、ロサンゼルスとまったく違っていた。毎朝８時にオフィスに着くと、デスクで社員たちが眠っているという光景をしょっちゅう目にした。だが、社員たちは世界規模の展望とボス自身が持ち込んだアメリカナイズされた文化を共有していた。「イーミンはとても親切で礼儀正しく、他人への敬意を忘れない人だった」とボルトンは語る。彼は読書好きの優等生で、髪を短く刈り、穏やかな物腰の人だった。ボルトンは音楽界に精通しており、フリッパグラムのためにレコード会社数社と仲介社を通じて契約を交わしており、バイトダンスにおいても同様のことをするために迎え入れられたのだ。「私には彼らがもっていない情報、知識、経験があり、彼らはそれを学びたかったんだ」とボルトンは話した。

9

動画アプリ「ミュージカリー」の成功

ティックトックを現在のかたちにした第二のアプリはすでに私たちも出会っている――ミュージカリーだ。ちょうどイーミンが地下鉄に乗っていた際に、人々の習慣が新聞を広げることからスマホをスクロールすることに変わり始めていると気づき、バイトダンス最初の成功アプリであるトウティアオを世に出してみようと思い付いたように、アレックス・ジューはカリフォルニア州のマウンテンビューで電車に乗っている際にミュージカリーのアイデアを思い付いた。ジューは10代の乗客が面白い自撮りや動画を撮ろうとおどけているのを見ていた。ジューはビジネス重視のテクノロジー企業をいくつも渡り歩いてきた。2013年にはルーユー・ヤンと組み、シカダ・エデュケーションという新会社を立ち上げた。この会社は、専門家の作った5分以下の短い動画を見て主にティーンエイジャーが新しいアイデアやテーマを学べるようにとの構想のもと設立された。ジューとヤンは新会社設立の資金として華岩（資本）有限公司から25万ドルをまんまと引き出した。彼らはその92パーセントをプラットフォーム開発やその分野に関連する専門家との関係形成および動画制作に充てた。新アプリをリリースしたその日からうまくいかないことはわかっていた、とジューは話している。専門家たちは、これまでの経験を通して重ねてきた知識を短い動画に濃縮させることにもがき苦しんでいた。動画自体も魅力に欠けていた。専門家たちは動画制作にも苦労していた。それは専門的技術や知識を安売りするような、素人っぽいコンテンツの寄せ集めになっていた。「失敗する運命にあったんだ」と彼は語った。

プロジェクトの立ち上げから6か月後には、ジューとヤンが中国の投資家から集めた不正資金の残高は2万ドルになっていた。彼らは教育的動画プラットフォームというアイデアを捨て、ジューが見たカリフォルニアの電車内で10代の子たちが暇つぶしにふざけてやっていたことをベースに、10代の視聴者が求めていそうなことを始めようと決意した。彼はシカダのために雇った小さなチームに新たな仕事を与えた。ハイテクに詳しい10代の子たちでも貶せないようなアプリの開発だ。それはシカダがやろうとしたのに、うまくやれなかった、そんなタイプのショート動画を10代の子たちが作れるようにするアプリだ。人をひきつけるような動画を作るためのハードルは、シカダのために雇った専門家たちにやらせたときよりも低くなければいけないと、ジューにはわかっていた。「コンテンツベースのコミュニティを築きたいなら、コンテンツと作品はきわめて軽いものでないといけない」と彼は言う。「数分でも数時間でもなく、数秒以内で終えられるものだ」。ジューは、ティーンエイジャーが好きな曲に合わせて口パクしたり、動画に派手なスタンプやとっぴなエフェクトを加えたりするのが好きなことも知っていた。それから1か月も経たないうちに、彼らはミュージカリーを生みだした。

2014年7月、アプリストアにリリースすると、1日に約500人がそのアプリをダウンロードし始めた。大事なのは、一度そのアプリを開き使ってみた人たちが、何度もこのアプリに戻ってきてくれることだ——これこそほとんど勝者のいないアプリ戦争だ。ジューとヤンは思いがけない幸運をつかんだのだ。彼らはふとしたことから、発展し続けるサブカルチャーに出くわした。当時、トリラー（Triller）やダブスマッシュ（Dubsmash）といった似たようなアプリがあったばかりか、アメリカでカルト的な人気を得ていた『リップ・シンク・バトル』というTV番組もあった。木曜の夜にこの番組が放送されると、毎週ミュージカリーのダウンロード数が跳ね上がった。アプリストアの検索バーに「lip sync（口パク）」と打ち込むと、このアプリが出てくる。ジューとそのチームはアプリストアのシステムをも出し抜いた。システムが検索結果に現れるキーワードよりもアプリ名を優先することを知っていたのだ——さらに言うと、非常に長いアプリ名でもOKだ。そこで彼らは人々がアプリを見つけるために使いそうなキーワードをすべて製品名に入れ込み、トラフィックの恩恵も活かした。たとえばこんなふうにいくつもの名前を周期的に配置する。〝ミュージカリー：インスタグラムやフェイスブック・メッセンジャー用のあらゆるエフェクトで飾り付けたオシャレなミュージック動画を作ろう〟。こうして、ダウンロードはひっきりなしに続いた。

２０１６年の中頃、私はジューと連絡を取った。数週間にわたってメールのやり取りをし、一度はチャンスを逃したものの、なんとかスカイプで話をする機会を得た。彼が話した理由は良識的で筋が通っていた——ミュージカリーの人気のせいでサーバーが厳しい状態なのと、ライブリーの公開が差し迫っているとのこと。ライブリーとは、有名人を応援する〝ミューザー〟たちが彼らのライブ配信で大金を生みだすアプリだ。２０１６年のライブリーの公開から数か月後、ミュージカリーはライブ配信のトップ10が彼らのファンからのドネイション（寄付）により２週間にわたって平均４万６０００ドルを稼いだと発表した。

買収されるまではライバルだったフリップパグラムでは、ミュージカリーがどの程度やれるのかに関心が集まっていた。「彼らがうちのアプリの使用実態を、より魅力的で娯楽性の高いものに進化させたことはわかっていました」とジョン・ボルトンは言う。「彼らはつながりの輪、あるいは名声の輪を形成し、そのなかで若者たちは必ずしも友達と時間を共有するためではなく、〝有名に〟なるためにミュージカリーに投稿する。そして有名になっていく。われわれのサービスにはこのダイナミクスがなかったんだ」

ジューは、のんきな性分ではあったものの、自らがミュージカリーで生みだした商業的成功についてはちゃんとわかっていた（２０１６年11月のあるテクノロジーカンファレンスでのインタビューでは、彼は中国の制限的政策をからかうようなところがあり、中国人はその頃開催されていたアメリカの大統領候補討論会に対し、それが中国にはないことからとても関心をもっていると言っていた）。彼はアプリについての初期ユーザーの考えを調査し、そのアドバイスを実施していた。いわゆる〝参加型デザイン〟は、中国のメッセンジャー・プラットフォームで日常的にアプリでの会話に使用されているウィーチャット（ＷｅＣｈａｔ）の何百人ものユーザーを巻き込んで、ミュージカリーの初期の成長において重要なパートである――生活もだが、彼らが感じていることも重要なのだ。こうしたユーザーは一般に若いティーンエイジャーで――ジューが私に話したタイプは、ミュージカリーのユーザー基盤におけるコアな構成要素である。彼らが学校の友人たちにこのアプリのダウンロードをすすめてくれたりもする。

だが、ジューはより目的意識の高いイーミンとは大きく違っていた。ジューがミュージカリーの圧倒的な成功や、ダメになったサーバー、将来の夢について上海のミュージカリーオフィスから私に話してくれたのに対し、そこから１２００キロ北の北京にいるイーミンは、動画アプリを開発する２００日レースの途上にいた。

10

ライバル製品を徹底的に分析

バイトダンスは好調だった。中国人は定期的にトウティアオを開いてくれていた。そこで、バイトダンスは２０１６年に中国人がニュースからショート動画アプリをどう見るかをモニターし、これまで蓄積してきた莫大なアルゴリズムを適用できるかどうかを判断することにした。

日本での経営者向けの研修会で、イーミンは今がそのときだと判断した。それは難しい決断ではなかった。２０１６年にはショート動画があらゆるところに――中国国内だけでなく世界中に――広まっていた。ヴァインは全盛期を迎えており、中国でかなりの数のショート動画アプリが人気を博していた。そのトップにいたのがクワイショウ（快手）というアプリで、クワイショウ・テクノロジーという会社が運営していた。

イーミンは新しいアプリの公開にあたってケリー・ジャン（親戚ではない）を抜擢した。彼女はそれがほかのアプリと明確な違いがあるものでないといけないことがわかっていた。また、バイトダンスは数か月かけてどうすればライバルに差を付けられるものになるかを慎重に検討していた。カギとなったのは『孫子』から引用した「敵を知り己れを知れば百戦危うからず」という言葉だ。チームはその言葉をそのまま信じ、世界中から100本のショート動画アプリをスマホにダウンロードし、それぞれを試してみた。その100本のなかにはジューのミュージカリーも入っていた。このアプリはアメリカでは公開されていたが、2017年5月の時点で中国にはまだ入ってきていなかった。

開発者たちの目には特に印象的なものとは映らず、もっといいものにできる可能性があると思われた。

ショート動画市場を調査していた少人数によるチームが、市場に出ているアプリ――なかには何百万人ものユーザーを抱えるアプリもある――についてうんざりする点をリストアップし始めた。それを改善が可能と思える4つの部分に絞り込んだ。

まず気に入らなかった点の一つ目は、ほとんどのアプリの動画の扱い方だ。画面の小さな隅に追いやられているか、画面上がごった返しているせいで目立たなくなっている。一部は横長で、スマホを傾けない限り、画面上では非常に小さくなってしまう。正方形のものもあり、横長に比べればまだましだが、それでも貴重な画面の面積を有効に使っているとはいえない。もう一つ気づいた点は、一部のアプリではサーバーコストを節約し、画質の悪い動画を作っていることだ（高画質の動画だと大量のデータが必要で、最終的にそのデータはどこかに記憶させなければならない）。開発者たちは配置の変更を試み、動画アプリを作るなら、フルスクリーンで高画質でなければいけない――それはジューとミュージカリーがほぼ2年前に考えていたことと同じだった。

ケリー・ジャンも音楽にフォーカスすることで、ほかのオンライン動画とは違うものにしたいと考えていた――そのせいで、アプリが公開される頃には「若者のための音楽ショート動画コミュニティ」という厄介なスローガンを採用することになる。人々のスマホとの付き合い方から考えて、音楽はカギになるというのがバイトダンスの信条だった。白いイヤホンを耳に挿したまま歩いている人たちを最初に見たときには異様な光景だと思ったが、2010年の中頃には当たり前のことになっていた。バイトダンスのほかのアプリのユーザーを調査してみても、音楽は生活のなかにコンスタントに存在し、人々がショート動画アプリに求めているものだった。

見た目を気にする中国の若者たちにとって、もう一つ生活のなかにコンスタントに存在するのが、フィルターを使って見た目の欠点を隠してしまう技量だ。フィルターはとりわけ中国で人気で、自分の顔や体を不自然に細いスタイルに修正してしまおうという考えが受け入れられている。バイトダンスの調査員の判断はこうだった。中国の若者たちは、他のアプリで魔法のように作りだした理想的な自分ではなく、冷たく厳しい現実にさらされた自分を見せるようなショート動画アプリには、ほとんど関心を示さないだろう。チームとしても、トウティアオのもつアルゴリズムの威力があれば、新たなアプリはライバルアプリから一線を画すものになるだろうと考えた。

ほかのアプリはどれも、動画を作成する際にユーザーにいくつものステップを踏ませようとするものばかりで、動画作成に頭から飛び込ませようとしていないように思えた。バイトダンスは動画の撮影をできるだけ簡単にしたかった。ほかの作業をいろいろと求めると、ユーザーは逃げていってしまう。動画をバズらせる方法を考えたり、以前から人気のあったハッシュタグチャレンジのコンセプトを発展させたりするにしても、何事も運任せにしてはいけないのだ。

新しいアプリには名前が必要だった。そこで、バイトダンスは社員全員に何か提案がないか求めた。チームは何百もの候補を検討した。第一の選択肢は〝A.me.〟。英語ではこれを〝awesome〟の意味で捉えられるのでいい案だったが、中国語ではそうならない。数か月にわたって検討した結果、選ばれたのは〝Douyin（ドウイン／抖音）〟。これは〝shake（do u）〟という動詞と〝sound（yin）〟という単語を組み合わせたもので、〝vibrato（ビブラート）〟を意味する。

ロゴは24歳のデザイナーが作った。彼はロックミュージックが大好きで、コンサートのあと耳のなかで音が鳴り続ける感覚と、ショーの最後に素晴らしい照明の演出を見たせいで目に光が残る感覚から発想を得たそうだ。彼は音符にヒントを得たロゴを下書きしたあと、GIF（ジフ）アニメーションジェネレーターにかけ、電磁波を加えた。GIFにより40のフレームを作りだし、デザイナーが最もスッキリと見える1枚を選び、ロゴに薄いエレクトリック・ブルー（ティックトック内部のグラフィックスタイルブックでは〝スプラッシュ〟と呼ばれている）の色と濃いピンク（ラズマタズという愛称）の影を加えている。

こうしてドウインは生まれた。

2016年9月、数か月にわたる開発期間を経て公開の準備が整った。当初、ドウインは小刻みな動きを見せ、大きな波は起きなかった。だが、バイトダンスの社員たちは手を加え続けていた。バイトダンスは社内に、拡張現実（AR）のスタンプやフィルターの開発に貢献するAIラボを設置した。これによって、ユーザーが何度も戻ってきてくれることが期待できた。ドウインは、とりわけずばずばと物を言うミスター・シュエというユーザーと交流をもった。彼はカナダの大学に通う学生で、ＶＰＮ（仮想プライベートネットワーク）を使って中国専用のアプリにアクセスしていたが、ドウインの音声と動画に若干のずれがあることに不満をもっていた。２０１７年の中頃には、状況が上向き始めていた。ドウインが新し物好きな人たちと共同で進めたハッシュタグチャレンジのいくつかは、このプラットフォームの熱心な2人のユーザーによって進められた〝シャワーダンス〟と呼ばれるものをはじめ、メインストリームになりかけていた。「ユーザーにアプローチするこうした機会をつくるのはとても重要なことなんです」とケリー・ジャンは話す。まだ初期の頃、バイトダンスは非常に熱心なユーザーをオフィスに招き、おしゃべりをしたり、一緒に動画を作ったりしていた。こうしたクリエイター中心のアプローチが推進力となり、間もなく西側諸国にティックトックが登場することになる。

11

これまでにない簡単な動画作成

バイトダンスは間もなく、より自由度が増したドウインの西洋版を公開しようとしていた。2017年5月、バイトダンスはティックトックの初期バージョンを、世界中のアンドロイドユーザーの大半がアプリをダウンロードするのに利用しているグーグルプレイストアで公開し、当初はアジアでの成長を目標とした。ティックトックは東京の渋谷にある6階建ての共同オフィスを開いた。地域の文化になじむことで、徐々に足場を固めていった。多くの動画がドウインからティックトックに移され、さらに日本人が作成した動画によってその数を増やしていった。同時にティックトックはタイ、台湾、インドネシア、ベトナムにも公開範囲を広げていった。

ドウインからコンテンツを借りるだけでなく、ティックトックはそのコードにも大いに依存していた。アプリのグローバルバージョンと中国バージョンの違いを分析するアカデミックチームはこう話す。「ティックトックとドウインは生まれた時期が異なる双子のプラットフォームです。一つ屋根の下で育ったものの、非常に異なる背景のなかで育っているのです」。スマホのアプリストアを開けば、その類似点に気づくだろう。検索バーに〝ＴｉｋＴｏｋ〟と打ち込むと、多くのアプリユーザーのアイコンとなったロゴを目にしただろうし、今でも見ることができる。一連のフィルターを片っ端から試してみたかのように図案化された8分音符が、右から左へ揺れて、両側で干渉し合う青と赤の薄い痕跡を残しているようなティックトックのロゴは、この2年で楽しさと名声の代名詞となった。

中国に飛んで、同じアプリストアの検索バーに〝Ｄｏｕｙｉｎ〟と打ち込むと、角を丸めた黒い正方形の地に電気ショックを受けたような同じロゴのアプリと出会う。何一つ違ったところはない。

それは意図的にそうしてある。2つのアプリは表面上は同じで、同じオーナーによって開発された。無限に流れてくる動画のなかに放り込まれると、画面の右手、ユーザーのプロフィール写真の下に一連のアイコンを見つけるだろう。こうしたアイコンによって、いいねやコメントを付けたり、動画をシェアしたりできる。すべてがユーザーをほんの少し混乱させ、一瞬でユーザーの注意をつかみ、そのクリエイティビティや無秩序、活気を示すよう、デザインされている。

一見、できることがたくさん詰め込まれているように見えるが、その陰にはシンプルさが隠れている。ティックトックとドウインはユーザーができるだけ簡単に好きになり、関わり、コンテンツをシェアできるように設計されている——それは多くの場合、アプリの外の生活においても不可欠な部分である。ティックトックの人気の一部は、抜け目のない新し物好きがよりすぐった最高の作品を、アプリの共有機能を使って、ティックトックよりも多くのユーザーを抱えていることも多いフェイスブックやツイッターといった他のプラットフォームのアプリにリポストしてくれるおかげだ。ティックトックのウォーターマークが付いた動画をツイッターで頻繁に目にすれば、抵抗していた人も諦めて、最後にはティックトックを自分で試してみようとするはずだとバイトダンスは考えていた。「こうしたプラットフォームは、自社アプリのコンテンツを他のプラットフォームで容易に共有しやすくすることで、新しいユーザーを見つけて引き込むことができる」とロンドン・スクール・オブ・エコノミクスの研究員ゾーイ・グラットは言う。彼女はヴィドコンで私をティックトックのセッションに誘ってくれた友人だ。「ダウンロードの際に自社アプリのコンテンツにウォーターマークを付けることで、顧客心理を離さずにコントロールできる」と彼女は付け加えた。

ティックトックとドウインが極力摩擦を減らそうとしたのは、アプリへの関与とコンテンツの共有だけではない。最も大きな革新の一つは、どちらのアプリも非常に複雑なプロセスだと思われている動画の作成を容易にしたことだ。ユーチューバーになるのは、とりわけ動画作成の労力が必要という点で、一つのチャレンジだ。ティックトックやドウインなら、それはチャレンジでも何でもない。

とはいえ、ここが重要なのだが、人間の兄弟と同じように、ティックトックとドウインも最初の1年目は主要な部分で違いがあった。それはライブ配信の重要性だ。ライブ配信のコミュニティは中国ではすでに定着していた。西側諸国ではライブ配信がデジタルクリエイターにとって主要な要素ではなく追加のおまけのように考えられていて、ティックトックはその事情を反映していた。公開時からドウインはユーザーをライブコンテンツ攻めにしていたのに対し、ティックトックでライブコンサートなどのライブ動画が本領を発揮するのは、コロナ禍で人々が家で動画を楽しむようになってからだった。

ライブ配信で起こっていることにも違いがあった。中国では、視聴者は好きなクリエイターに感謝の気持ちを示すのに喜んでドネイションをしていた。ドネイション機能はティックトックにもあるのだが、西側諸国ではあまり知られておらず、ほとんど使われてもいない（数か月前からアプリに登場していた、比較的人気のあるティックトッカーは、アプリのインターフェイスを詳細に調べてみて初めて自分が視聴者からお金を受け取っていたことに気がついたという。ただ、その額はファストフードを買えるほどでもなかった)。

アプリの発見タブは――プラットフォーム上のトレンドハッシュタグのリストとコンテンツ――よりわかりやすい違いだ。ティックトックでは、標準的な1ページのトレンドコンテンツが載っており、ユーザーがそこから選べるようになっている。ドウインでは、zheng nengliang(ポジティブエネルギー)と呼ばれる別のサブセクションと並んで配置されている。

〝ポジティブエネルギー〟もトレンドの動画を見せるものだが、そこにも違いがある。ここの動画はドウインの一角から選ばれたもので、与党・中国共産党や党が掲げる社会的理想をもちあげる動画を載せている。バイトダンスはミームの宝庫だった同社の別のアプリ「内涵段子」を、おそらく低俗なコンテンツを投稿していたという理由で停止せざるをえなくなったのち、このポジティブエネルギーセクションを作った。バイトダンスは共産党と国民に対し大変誤った判断をしてしまったと謝罪し、同時にドウインにポジティブエネルギータブを差し込んだ。教育関係者やアナリストは、思いつきでビジネスを停止できる政治家を懐柔する、いわば〝生き残り戦術〟だと言った。けれども結局のところ、同じコアメカニズムが双方のアプリを動かしているにもかかわらず、両者のあいだに根本的な違いがあるのは、運営環境に甚だしい違いがあったからだ。

もう一つの違いは、ユーザーが作成した動画をより魅力的なものにするために動画にかけるフィルターだ。ティックトックでデフォルトのカメラフィルターを開くと、肌のトーンが自然な感じに見える。ドウインで開くと、顔がより明るく見える。これは、何年もアプリ上にはびこっている色白を美徳とするｍｅｉｂａｉと呼ばれる中国の文化規範によるものだ。それは動画を微調整するために入手できるフィルターのディープ・ライブラリーにも及ぶ。ティックトックは基本的なフィルターの使用やミームやスタンプを貼る自由度に依然として重点を置いていたのに対して、ドウインの大量のフィルターは人の見た目に固執したものばかりだった——かなりの数のフィルターが目を大きくしたり、肌を明るく見せたり、頬骨を高くしたりするのに使用されるものだった。それは社会の主流となる考えを反映していた。多くの中国人は、白い肌や大きな目、高い頬骨を手に入れるために何千ポンドもかけて整形するといった思いきった手段を取ってでも、欧米人のような容姿に見せることに固執していた。しかし、それはバイトダンスが関係する社会の文化やルールに適応しようとする姿勢を示すものだった。

12

世界市場を狙う
巨額の広告戦略

イーミンは早急に市場を世界へ広げたいと思い、どんな国でも成功のカギはクリティカルマスを迅速に達成できるかどうかにかかっていると実感していた。クリティカルマスを達成する一つの方法が広告だ。バイトダンスはほぼ前例のない公共広告キャンペーンに資金を出した。ネットやテレビの広告費として1日に数百万ドルを支払っていた。発展途上国では、都心の裕福な層より前に、小さな町の貧しい労働者階級をかなり安価で味方に引き込むことができるとわかっていた。

たとえばインドでは——ティックトックの世界支配への進撃のケーススタディとしてこれから見ていくことになる——バイトダンスは、インド社会のなかで十分な教育を受けていない人々は

〝第4、第5階層都市〟に住んでいるケースが多いと知っていた。インドの元バイトダンス社員は、インドの都市階層システムをこう説明する。「彼らは英語のコンテンツ、あるいは優良・良コンテンツのことなんてよくわからない。ヴィレッジコメディのようなものを見るのが好きで、ランダムな曲に合わせて踊っている――そんなところです」

こうした町の住人は貧しく、満足に教育も受けておらず、手取り所得が多くないので、普通は広告主にとって魅力がない。ティックトックにとっては、それが安価でターゲットにできることを意味していた。第4、第5階層都市の人々に対するいわゆるCPM（広告1000回あたりのクリック数）は信じられないほど安い。フェイスブックやユーチューブ、グーグルの検索結果に出てくるデジタル広告は、潜在顧客にダウンロードしたくなるようなティックトックという新しいアプリを見せる。たくさんの広告を打った。バイトダンスはアプリをシャドーアカウント――アプリメーカーが作ったフェイクアカウントで、ユーザーが楽しんでくれそうなコンテンツをアップロードしている――であふれさせた。

こうやってアプリに勢いをつける。膨大な数の人々をティックトックに誘い込み、アプリストアのチャートを押し上げ、記者の目に留まるようにする。ユーザーが作るコンテンツは完璧ではないかもしれないが――知的なユーザーをうんざりさせるような〝ドン引きコンテンツ〟の可能性も高い——それでも人々はアプリに定住してくれる。「第4、第5階層都市をターゲットにすれば、ダウンロード数、ユーザー数、それにちょっとしたドン引きコンテンツを得られます」と元バイトダンスの社員は話す。

いったんティックトックが低階級の人々が住む小規模な都市や町、村でユーザーのクリティカルマスに到達すると、ティックトックはその勢力範囲を広げ始めた。バイトダンスは、ターゲットにした他のアプリの人気インフルエンサーにも食い込んでいった。彼らは第3階層都市に住むインドの中流階級の人々だが、ソーシャルメディアプラットフォームで趣味に熱中するクリエイターで、デイリー・ユーザーとより関わり合いが深くプロフェッショナルなクリエイターとの境界線をまたいでいた。これら第3階層都市の人気インフルエンサーには、インスタグラムに500から1万人のフォロワーがいる可能性があったし、わずかな額で新しいアプリに誘い込めて、最初から圧倒的な成功を収めそうな見込みがあった。

こうした新たなユーザーの流入がアプリの構成にも変化をもたらした。いわゆるドン引きコンテンツ——低品質で粒子が粗く、年老いたボリウッド（インド映画産業）の人気者と並んで踊っている様子を友人が手振れしながら撮影したような上下に小刻みに揺れ動く映像——が徐々に裕福なユーザーにも受け入れられる高品質のコンテンツに変わっていった。こうしたタイプのコンテンツがアプリ上の動画のほぼ3分の1を占めるようになると、バイトダンスは居住者の数は多いがインドで最大の階層ではない第2階層都市をターゲットにし始めた。バイトダンスはインスタグラムの有名なインフルエンサー――１００万人以上のフォロワーをもち、照明や化粧、サウンドにも凝った動画を作っている――と接触し、ティックトックへの参入に数千ドルに及ぶ報酬を提示した。同時に、バイトダンスは従来からのマーケティングにも資金を投入し、伝統的なインスタグラムやユーチューブのユーザーに対し、アプリの魅力をアピールできるキャンペーンを企画した。プロフェッショナルなインフルエンサーをアプリに誘い込んだバイトダンスは、次にマーケティング予算を増やし、従来からいる本物のセレブリティを惹きつけることにますます金を注ぎ込んだ。

こうしたセレブリティは予想外の視聴者にも扉を開いた。ユーザーのなかでも一日中入り浸っているのではなく、おそらくプラットフォームにほんの少しいるだけの一部の層に、彼らはブランドの知名度をもたらした。

ティックトックがクリティカルマスに到達すると、ちょうどインドで起こったように、あらゆる年齢層の人々が参加したがるようになった。２０１８年の後半から２０１９年の初期にはこんな光景がよく見られた。たとえばムンバイ出身の54歳の母、ジーサ・スリダーは娘のサラダや姉がずっとスマホにへばりつき、寸劇（スキット）を演じたりダンスの振り付けをしたりするのを不思議に思っていた。彼女はそれが何なのかと尋ね、それがわかると、自分も参加させてくれないかと娘に頼んだ。

結局その母親は、娘が振り付けし撮影したいくつかのダンスに参加していた――とはいえアプリ上で投稿を公開することはなく、ずっと非公開にしていた。娘たちは母を困らせたくなかったし、本当は自分たちにネットの活動をやめてほしがっているのかもしれないと心配もしていた。言うは易く行うは難しだ。だが、その心配は無用だった。ジーサは娘に頼んでティックトックを自分のスマホにインストールしてもらい、動画を撮影したくなっても娘たちの手を煩わせなくていいようになった。

ジーサはシェフおよびフードブロガーとしてのキャリアを築き、レストランのレビューを書いたり、その店のシェフのインタビューを記録したり投稿したりする際にも、スマホを持ち歩くようになった。家に帰ると、娘たちの作るダンス動画に一緒に登場していた。

人々はジーサが大好きだった。見かけはカラフルなサリーを絶え間なく見せていそうなインドの中年女性がティックトックに夢中になっているという点も気に入っていた。「あの歳になっても、母は表現を凝らし情熱をもってダンスを踊っているんです。それをみんなが楽しんでくれているんです」と娘のサラダは説明する。最初は彼女のアカウントでフォローボタンが数千回クリックされた。それからフォロワー数は10万になり、やがて50万に。２０２０年の6月までに、ジーサは１００万人のファンを獲得するまでになっていた。ジーサは毎日数十の動画を投稿していた。「年齢の壁がない、それをみんな楽しんでいたんです」とサラダは話す。

インドのティックトックに現れたもう一人の意外なスターがハイドロマンだ。その動画は明るい照明の当たった青い水槽の中で起こっている。濃い青のゴーグルか、ときには薄い縁取りの大きなメガネをかけたジェイディープ・ゴーヒルが水中にいることがわかるのは、彼の鼻をつまんでいるプラスチックがちらりと目に入ったときや、豊かで黒い髪が水の流れで左右に漂うのを見たときだ。ユーチューブからスタートしティックトックに移ってきたハイドロマンは、ボリウッドで大ヒットした歌に合わせて口パクしながらダンスを踊るようになる。その動きは特注の水槽の中の水の抵抗によってゆっくりになり、優雅な流れを見せる。

ゴーヒルの動画はティックトックのすべてのボックスで動いている。スクロールする指は、自分の目が今見ているものを理解しようとする一瞬のあいだためらう。そして彼が動きだし――物語のひねり――ダンスと口パクがシームレスに行われる。目の前でディズニー映画が現実に起こっているようだ。とても信じられない。予想もつかない。ドーパミンがあふれ出す。友達に話さないではいられなくなる。

インド人がフェイスブックのような他のソーシャルチャンネルで友人たちに動画の話をした場合でも、ティックトックには気に入った動画がもともとどこから来たものかを教える機能がある。ティックトックは動画が他のソーシャルメディアプラットフォーム——たとえばツイッター——でダウンロードされたり、投稿されたりするのをいつだって歓迎している。ダウンロードされた動画の隅に、ティックトックのロゴのウォーターマークと最初の投稿者のプロフィールを載せている。フリッパグラムで使っていたこの方法は、ツイッターやフェイスブックでティックトックを見た何百万人もの人たちのなかに、アプリの名前に気づき、アプリストアからアプリをダウンロードし、自分で使ってみてくれる人が出てくるだろうと考えてのことだった。

13

ライバルアプリ「ミュージカリー」を買収

ミュージカリーでは2015年4月に新しいデザインになるまで、ウォーターマークは付けていなかった。こうして導入されたことで、これがゲームチェンジャー（大きな変革をもたらすもの）となった。2か月もしないうちに、ミュージカリーはUSアップルのアプリストアで1250番目ぐらいの人気だったのが、一気に最も人気のあるアプリになった。利用者の数は増え続け、月間利用者数がおよそ100万人になった——その数は、2015年8月に1660万ドルのさらなる融資を受けるのに十分だった。その頃には、バイトダンスとは対照的に、ミュージカリーは拡散のために1ペニーも払っていないという評判だった。ミュージカリーはジューの考える理想のアプリになっていた。〝若い世代にとっての真っ白いキャンバスで、クリエイティブな表現を可能にする多くのツールを提供するもの〟。つねに新しい特徴が加えられていった。マイシティ(My City)というロケーションフィルターを使えば、ユーザーはその場所で撮られた動画を見つけることができる。2016年には、あるアルゴリズムが動画のランクを上げ、露出を増やした――以前は〝計画経済〟として運営されていた環境に、ジュー自身が〝市場経済〟と呼んだものを加えたものだ。

ミュージカリーは上昇気流に乗り、中国所有のアプリでありながら、ヨーロッパや北アメリカで最も人気を博したが、その市場ではティックトックは最も人気がなかった。一方、ティックトックはアジアで最強だった。ユーザーのうち、ほぼ10人に9人は日本、タイ、台湾、インドネシア、ベトナムでの利用だった。

イーミンのティックトックは攻めに出ることを決め、2017年11月に8億ドルでミュージカリーを買収した。買収によりティックトックの勢力範囲は大幅に拡大した。「私たちは新しい章への突入にワクワクしていました」。何年もかけてミュージカリーをここまでに築き上げたジューはこう話した。アプリの月間利用者数は1億にまで達した。「ティックトック、このチクタクという時計の音は、動画プラットフォームの本質を簡潔に表している。ミュージカリーとティックトックの組み合わせは、双方の経験を活かした共通のミッション――誰もがクリエイターになれるコミュニティを創りだす——を考えると自然としっくりくる」
買収はうまくいった。とはいえ、そこにはまだ障害が待ち受けていた。両アプリを合体させ、ミュージカリーのユーザーをティックトックへ切り替えなければいけない。その変更が実際に動きだすにはほぼ9か月かかったが、終わってみると、あっという間だった。2018年8月1日ティックトックは公式サイトに「2つのアプリは合体し、ミュージカリーはティックトックに組みこまれる」という内容の声明を発表した。2018年8月2日、ミュージカリーのユーザーが目を覚ましスマホの画面をオンにすると、赤い地の円に曲線状の音波が地平線を駆け抜けるアイコンが消えていることに気がついた。その場所には、ティックトックの黒地に振動する音符があった。

喜んだ人もいれば、悲しんだ人もいた。変更を受け入れる人もいれば、反抗的な人もいた。そのうちの一人、ブライアン・バートラインはこんなツイートをしている。「〝ミュージカリー〟は今や〝ティックトック〟になってしまったが、私はこれからもずっとミューザーだ。クロックにはならない」。その怒りは鎮まった。結局、バートラインはティックトックへの強制的な移行を柔軟に受け入れた。そのフィラデルフィアのティーンエイジャーは今でもティックトックに投稿を続けていて、それぞれの動画は数百回閲覧されている。

こうして、イーミンのバイトダンスが世界規模で動画市場を支配するための舞台は整った。それには個別の使用環境に応じた2つのアプリがあればＯＫ。中国におけるドウインと資本主義の西欧諸国におけるティックトックだ。

第3章

ティックトック成長の秘密

14

成功への2つのカギ

ドウインとティックトックは急速に世界へと広がった。それは徹底的な競合分析と細部への強いこだわりのおかげだ。しかしこれらのもつ特徴に目を向けると、2つのアプリをライバルから際立たせたのは、とりわけ2つの特徴だった。1つ目は動画の長さ、2つ目は動画を提供する際のアルゴリズムだ。

まずは動画の長さについて。注意力の持続時間は自分たちの周囲の世界によって変化しやすく、影響を受けやすいものだ。気が散る要因——お腹をすかせた赤ん坊の泣き声、やるべき仕事のチェックリスト、大きなプロジェクトの差し迫った締め切り——をすべて取り除けば、長く詳細な物語を綴った本書のような本に没頭することができる。だが、気が散る要因を次から次へと積み重ねていくと、集中力があっという間になくなることに気づくだろう。科学者が長年研究し、心配しているのがそれだ。日々あふれんばかりに与えられる情報が、深い思考力や数秒以上何かに取り組む能力を阻害するのではないか。

明らかにそうだろう。カナダの研究者が、ミレニアムの変わり目に2000人を対象に注意力の持続時間の研究をし、そして同じ実験を15年後に再び行った。そのあいだに――家庭用コンピューターが急激に普及し、ユーチューブとiPhoneが出現、手ごろな家庭用ブロードバンドインターネットの有用性が上がりコストが下がった――人間の脳がスイッチを切る前に一つのことに集中できる能力は12秒から8秒へと3分の2に減少した。ほんの短い時間しか集中できないという当面の関心事の観点からだけの話ではない。さまざまな研究者による長期的分析から、情報が豊富にあふれていることと注意力の消耗とは関連があることがわかっている。「新しいものを求める衝動によって、人間はトピックをまとめて迅速に切り替えようとする」とマックス・プランク教育研究所の研究員が話してくれた。

私たちの注意力持続時間の減少に多少なりとも責任のあるソーシャルプラットフォームが、わずかばかりの集中力を与える手助けもしている。ティックトックは私たちの注意力が続くあいだだけ注意を引き、続いてそのままスクロールしてくれそうな次の動画を提供するよう微調整されている。コンテンツパートナーシップ部門のトップによると、ほとんどの動画は喜びを15秒から30秒にはじけさせ、短時間でできるだけクリエイティブになるようコンテンツを作成させている。新たなクリエイターへの内部ガイダンスでは、動画は最低でも10秒を超えるように、なるべく11秒から17秒にまとめて投稿するようアドバイスしている。かつてアンディ・ウォーホルが誰でも有名になれると言った15分という時間は、ティックトックの新世界ではまさしく15秒になっている。

ティックトックで1時間に消費できるコンテンツの量について考えてみよう。各動画が最大の60秒で作成されているとしたら60作品を見ることができ、連続で60人の新顔に出会い、彼らの世界の扉を開くことができる——つまり、彼らをフォローし、スーパースターの地位に押し上げるチャンスがそれだけあるということだ。対照的なのがユーチューブだ。ユーチューブでは、動画をあちこち回ってささっと視聴する人が減り、代わりにソファに座って長編のドキュメンタリーを見る人たちが増えているため、動画の平均的長さはどんどん長くなって、ファンをつくるのがさらに難しくなっている。ティックトックの動画の長さはスイートスポットにヒットした。人はすぐには退屈しないもので、絶えず新しくて風変わりなコンテンツをつまみ食いしている。これは、すぐさまユーザーの注意をつかみ、内容にひとひねり加えることでドーパミンを放出させて満足感を与え、続けて次の動画を見る気になるよう、クリエイターが設計したものだ。

だからこそ、ティックトックは非常に人気が高いのだ。延々とスクロールし、指先が止まった先に入念に選んだ動画が出てきて自由にフリックできるなら、決して退屈することはないだろう。

ティックトックをここまでに押し上げた第二の要因はそのアルゴリズムだ。それはティックトックだけでなく、バイトダンスの製品すべてを強化し、会社全体のマネーメイカーになっている。実際のところバイトダンスは、画像認識やコンピュータービジョンといったアプリに、そのコンテンツや他のテクノロジーを引き渡すメカニズムを商業的に利用してきた。中国では、バイトダンスはそのアルゴリズムやその他のツールのホワイトラベルを〝ヴォルケーノエンジン（火山引擎）〟というブランド名で1年以上前から売り出していたが、内部関係者から聞いたところでは、2021年4月に同システムをバイトプラス（BytePlus）のブランド名で西側の企業に販売するため、シンガポールでスタッフを雇い始めた。

誰が作り誰が作っていないかを記録するユーチューブのアルゴリズムと同様に、ティックトックのアルゴリズムは複雑で、外部の人間にとっても多くの内部関係者にとってさえ、おおむね不可解なものだ。イギリスでティックトックの編集チームのチーフを務めるヤズミン・ハウにそれがどう機能するのか尋ねたところ、「それはアルゴリズムチームでさえ答えを出せない質問ですよ」と困惑していた。「とても精巧にできているんです」

ただ、アルゴリズムに適した動画の作り方についてのヒントはある。「明るい照明のもとで撮影することです」とハウは言う。「そこそこまともな品質にすること。特別洗練されている必要はありません。人気の出るコンテンツの99パーセントはこのプラットフォームで作成されたもので、リアルな内容の動画です」。ティックトックはアテンション・エコノミー（関心経済）にしっかりと根付いたアプリだ――つまり、ユーザーの興味を即座につかめなければ、すぐにはその先へ進めない。ハウはこう言う。「ユーザーとして最初の3秒で心をつかまれたら、たいてい最後までその動画を見てしまう。そしてそれがどんどん多くの人たちに広がっていくんです」

不安になることが多いユーチューブのクリエイターがいつもアルゴリズムの働き方をひっくり返そうともがいているように、ティックトック萌芽期のクリエイターベースも、システムの裏をかいて有名になれる最大のチャンスを手に入れる方法を見つけだすことに時間を割いている。オーディエンスを見つけたがっている人たちがアプリに投稿した動画のほとんどすべてが、キャプションに〝#fyp〟（For You Page：おすすめ）のハッシュタグを付けており、このタグが付いていないものはアプリ内で動画を見つけるための主流な場所にはたどり着けないという勘違いが受け継がれている。

そのうえ、ティックトックのアルゴリズムが求めているものを正しく見抜く――あるいはコード化方法を正確に解釈できる――洞察力をもった人はほとんどいない。（ソーシャルメディアプラットフォームのアルゴリズムの最大の問題は、思いもしない幸運に巡り合える方法を見つけだそうと必死になっている人たちの個性が染みこんでいることだ。実際はコールドロジックで実行されるただのコンピューターコードにすぎないのだが）

プラットフォームが比較的若いということは、アルゴリズムについて噂を言いふらす――システムの機能のしかたを知っているつもりでいる――人たちの範囲はサイトでのユーザーの地位を押し上げると約束する業界カンファレンスのイベントを主催している、ユーチューブで盛んなグロース・ハッキングコミュニティよりも小さい。だが、こうしたアルゴリズムの専門家たちは今でも存在し、アプリが何を優先しているか、それはなぜなのかを見つけ出せるか確認するためさまざまな入力データをテストしている。

そのなかに動画編集アプリのヴィード（VEED）がある。ヴィードによると、ティックトックはプラットフォームに投稿されたすべての動画をコンピューター制御の2つのレンズで見ているらしい。最初に、動画内で言っていること、キャプションに打ち込んだことを自然言語処理にかけ、また何をしているか、どこにいるのか、動画がどう展開するのかをコンピュータービジョン技術で見極めたら、それをコンピューターが読み取り可能なチェックリストに翻訳（変換）する。これについて、バイトダンスの広報担当者がアプリの内部構造についてヒントを与えてくれた。「バイトダンスでは自然言語処理やコンピュータービジョンテクノロジーを使って文章や画像、動画を理解・分析するインテリジェントマシンを構築しました」。それによってバイトダンスはユーザーが最も面白いと思う動画を提供できるようになった。

だが、ティックトックはすべてのユーザーにすぐには動画を見せない。アプリは終わりのないエンタテインメントの場として、ティックトックを見ているユーザーを信頼している。期待されているような高い水準に至らない動画は、幅広いオーディエンスに向けて提供すると、アプリの品質を見る目が低下する可能性がある。だから、まずコンピューター支援ＡＩを使って２つのレンズで動画のコンテンツを分析したのち、少数のユーザーにその動画を送り、彼らの反応を評価する。

ティックトックの膨大なユーザー基盤の一部によって動画が試されるこの時点で、動画は転機を迎える。自身のフィードで動画を提供されるわずかなユーザーの反応が、その動画の未来を決定する。飛躍的な成功を収め、数百万の〝For You〟のフィードに入るか、失敗し、愛されることも視聴されることもない運命をたどるか。For You Page（おすすめ）はアプリの非常に大事な部分だから、このテストは重要だ。「For You フィードがないというのが、ティックトックのマジックの一部です」とバイトダンス側は説明する。「さまざまな人々が傑出した同じ動画に出会う一方で、一人ひとりのフィードはユニークで特定の個人に合わせて作られたものなのです」

こうした反応はさまざまな方法で評価され、ティックトックは面白い動画と退屈な動画を区別するヒエラルキーを利用しているようだ。あらゆる方法で視聴され、何度も視聴される動画には、最高のウエイトを付けておすすめされる。

それに次いで、動画を少数のテスト用ユーザーからより大きなティックトックコミュニティへと押し出すべきかを判断するための重要な判断基準は、それがアプリのインターフェイスを使ってシェアされているかどうかだ。どの動画がユーザーを惹きつけているかを判断する際にはコメントが次なる重要な重み付けになるが、動画を気に入ったことを示すダブルタップが多くの人たちにそれを見せる価値があることを示す指標としては最も役に立たない。

特定の動画に対し視聴者が楽しんでいるかを評価するためのこれらの要素は、スコアを与えるためにすべて一緒に計算される。そのスコアが未知のある閾値に達していれば、その動画は世界へと押し出され、広い範囲のティックトックユーザーに見てもらえる。再視聴可能性、コメント、いいね、シェアなどに基づいて動画を採点するプロセスはそのユーザーの範囲内で繰り返され、その動画はますます拡散される。それは、やがて人々が興味を失い、動画がFor You Page（おすすめ）からはずれるまで続く。

面白いのは、ユーチューブをはじめとする他の多くのソーシャルメディアプラットフォームが大人気のクリエイターをユーザーに定期的に提供し続けるのと違って、ティックトックは愛をシェアしようとしている（もしくは、強力なメガスターをわずかな数生みだすのではなく、おそらく力強いパフォーマーを大勢生みだそうとしている）。「多くのフォロワーをもつアカウントが投稿した場合、動画はたくさん視聴されがちですが、大きなフォロワー基盤を築き上げたアカウントのおかげで、フォロワー数もそのアカウントが以前視聴数の良い動画をもっていたかどうかも、おすすめシステムの直接要因にはならない」とバイトダンス側は話す。実際、フィルターバブルや同じようなタイプのクリエイターによる同じタイプの動画が提供される無限ループを避けたがっている。同じバッキングトラックで、あるいは同じクリエイターが作成した2本の動画をユーザーに続けて見せれば、アプリのフィードは失敗したといえる。

こうしたデータポイントのそれぞれもまた、各ユーザーのイメージを構築するのに使われる。初めてティックトックを開くと、アプリが最も人気のあるコンテンツのいくつかをホーム画面上で目に飛び込ませてくる。そして、どの動画を見続けているか、どの動画をスキップしているか、どの動画を何度も繰り返し視聴したかをチェックする。こうした判断の一つひとつ——動画に費やしたほんの一瞬に至るまで——が、見ているのがどんな人物か、どんなものを好むかというイメージをつくり上げる。このイメージはつねにアップデートされ、アプリを開く時間帯や、アプリを再び開くたびに提示された新しい動画の候補リストが、ユーザーの興味にぴったり合うように設計されていることを意味する他のたくさんの選択肢によって微調整される。

私はそれを自分自身で見てきた。テスコや他のスーパーマーケットで働きながら、ティックトックを作成している人たちのランクについて私が書いていたとき、私のティックトックアルゴリズムがそれに適応した。私はこうした動画を探しだし、何度も繰り返し視聴していたので、ティックトックは私がスーパーマーケットの動画が好きなのだと思ったのだろう。そして私は、スーパーマーケットの通路をカートを押しながら進み、チーズとバターのあいだを動きまわる人たちの動画を手に入れた。コロナ禍のなか店の行列に並んでハッシュタグチャレンジを実践する人々のストーリーを調査しながら、私が観察に別の変数を加えると、ティックトックは私の関心の一つと思われるもの——スーパーマーケット——と別の関心、つまり行列とを三角測量できると考えた。ティックトックは店の外ではなくスーパーマーケットの中で行列に並ぶ人々の動画をすかさず提供してきた。この手の行列の動画はイギリスに拠点を置く店のものだが、それはアプリがどんな動画を見せるかを判断する際に、ユーザーの拠点を、使用しているデバイスのタイプといったほかの要素とともに考慮する傾向があるからだ。

それは、摩擦（もめごと）の低減というティックトックの主たる目的の一つを助けるためだ。好みの動画を見つける努力をするほど、何度もそこに戻る確率は低くなる。確実にユーザーのことを知り、高品質の動画を絶え間なく提供することで、ティックトックはユーザーに見捨てられるのを防ごうとしている。

ティックトックはそのアルゴリズムの能力――および無限に繰り返されるスクロールの中毒性――をよくわかっている。２０２０年2月、世界中のユーザーが自分のFor You Pageに現れた奇妙な動画を見始めた。そのうちの一人、17歳のリーナはある晩11時頃にそんな動画の一つに出会った。それは彼女がアプリを開いた2時間後のことで、彼女はその動画フィードに夢中になった。満面の笑みを浮かべたハンサムな若い青年がこちらに向かって挨拶している。笑うと眉が表情豊かに動き、目の周りに皺が浮かぶ。「動画を見続けるって簡単なことなんだよ」。男性がカメラレンズを通して彼女にお願いしている。「本当だよ、僕はずっと前からここにいる。だけど、これらの動画は明日もまだここにある。早めにベッドに入って、スマホを消し、なにかお気に入りのことをやって。最高の夜を！」

その青年はティックトッカーのゲイブ・アーウィン。当時、彼はティックトック上に２００万人のフォロワーがいて、通常のものではないアカウントから投稿していた。@TikTokTipsは、若者が多いユーザー基盤を誘い込もうとしているというクレームに対抗するために、バイトダンスが開設したアカウントだ。プラットフォームの人気クリエイターの一部は、スマホを切らせようとする専用の動画を記録していた。その一人が陽気な金髪の少女（女性）コゼット・リナブ。彼女の動画のサムネイルはいつも、素人っぽい若手女優でさえやらないようなド派手ではしゃいだ表現が目立っている。彼女は単刀直入に言う。「最後にここを離れたのはいつ？」と見ている人たちをそそのかしている。

ティックトックを切ってと頼むのは直感に反した判断のように思われるが、それはかなり積極的なPRになり、アテンション・エコノミーに付け込んでいるという批判を封じている。アプリが人を誘い込むための〝ダークパターン〟やデザイントリックをどのように利用しているかを研究しているあるソーシャルメディアの研究者によると、それは両方のいいとこ取りをしようとするティックトックの一例だという。「最初に狡猾な中毒性のあるパターンをアプリの中心に組み込み、そして温情主義的だが、あたかも彼らが善良なインターネット市民に見えるようなパターンを加えるんだ」とアメリカのパデュー大学の准教授、コリン・グレイは話す。こうしたパターンの中毒性については、ほんの少しの人たちのアプリの使い方をモニターすればわかることだ。

15

ティックトックをどう使っているの？

タハ・シャキールは2020年6月8日のことを特別なこととしては覚えていない。それはカナダ・トロントのマーケティング担当者にとってはいつもの月曜日だった。彼がここ24時間以上アプリを利用していたことを示すティックトックが入手したデータ――シャキールが本書のために私にもシェアしてくれたもので、ティックトックのユーザーは誰でもアプリを通してダウンロードできる――からは別のストーリーが見えてくる。「私はかなりショックを受けましたが、ティックトックが集めたデータに驚きはしませんでした」。シャキールはそのデータを私に渡してそう言った。「私は広告の仕事をしているので、大企業が提供するターゲティングオプションはすべてどこかから手に入れたものです。プライバシーは今や過去のものです」

シャキールは夜中に目を覚ましたのだろう。午前2時27分、iPhone11のロックをはずし、ティックトックを開いた。ティックトックのアルゴリズムに最初に提示された動画はザーラ・ベロのものだった。このイスラム教徒の美しいブロガーには17万1000人のフォロワーがいて、カリフォルニア州のラグーナビーチに住み、いわゆる〝モデストファッション〟の専門家だった。動画は上唇からほつれ毛に覆いをする方法を撮ったもので、それはベロが地元のショッピングモールの化粧品売り場には行かず8年間ずっとやってきたことで、シャキールが少し興味をもてるものに思われた。彼は15秒の動画に対して次の動画に移るまで12秒間ぐずぐずしていた。

そこで、思いがけず出会ったのがサルヴェナス・ミスリッキだ。彼女はリンクトインのエンジニア部門で事業部長を務め、多くの就職志望者が面接で直面するきわどい質問へのうまい答え方についてキャリア・アドバイスをしている。たとえば、「どうして今の仕事を辞めたいのですか?」といった質問だ。その動画はティックトックのフィルターを多用した巧妙な作品で、まずい回答をすると、地獄を表すグラフィック描写のなかからミスリッキが現れる。うまい回答ができると、雲と天使のあいだから彼女の頭の上に拡張現実(AR)の後光が差す。シャキールはその動画をフル再生してから、またスクロールを始めた。

次に彼が見たのはフロリダ州シャーロット郡の地元のプールでライフガード（監視救護員）をしているクリステル・バーンで、ビーチサンダルを脱ぎ、監視するプールに勢いよく入っていく場面だった。「私は生活にうんざりしていて、今日はヒーローではなく、溺れている人になる日だと決めました」とキャプションを付けている。シャキールはそれを視聴した1460万人のうちの一人になった。そのあと、彼はティックトックのアルゴリズムからエターナルソードMというゲームを宣伝する広告を見せられた──ゲームの情報を表現する女性の背後でゲーム内フッテージ（映像）を映す大きな舞台スクリーンでは、それを〝エターナル〟と呼んでいる。シャキールは動画にもゲームにも魅力を感じず、3秒以内にほかへ移った。移った先は、丸いガラスのガーデンテーブルに座った男性が、ギネスビールを缶から上手に注ぐ方法を見せている動画。フリースを着た白髪まじりの男性が缶を4回ひっくり返し、缶を開け、パイントグラスの周りで缶を回して、おいしそうに注いでいる。

これら5本の動画をフォローすると、シャキールはほかに35本の動画を視聴し、2時36分少し前にティックトックを閉じた。彼はアプリに10分足らずいたことになる。

しかしこの数分のうちに──率直に言って、ほんのわずかな時間、提供された最初の5本の動画のうちだけで──ティックトックは彼がどんな人物か、何に興味をもっているかを特定するという仕事をうまくやりきった。「私はイスラム教徒、キャリアで成功を収めるためのヒントに興味があり、ビーチに行くのが大好きだ」とシャキールは言う。「唯一違っていたのはビールの飲み方のヒントだけだ」。イスラム教徒なので、彼はアルコールを飲まない。ティックトックはシャキールの興味を理解するために、たくさんの実践を積んできた。彼は、２０１９年のクリスマスに初めて本格的にアプリを試してみてから少なくとも１５３９回アプリを開いている。そのあいだ、ティックトックのアルゴリズムは、それまでに彼がアプリで目にした3万７７５６本の動画と関わっていることを理解できていた。彼は何が好きで、何が好きではないかをティックトックは知っている。最も求めているのは救助なのかエンタテインメントなのか、キャリア・アドバイスなのかコメディか。

彼は24時間で29回ティックトックにログインしており、２回目のログインは1回目にアプリを閉じてからたった数分後のことだった。彼がアプリを開いたのは、

午前2時37分
午前2時49分
午前2時53分
午前3時05分

午前3時13分。

彼はなんとか2時間程度の睡眠を取り、その後再び午前5時24分と午前5時44分にティックトックを開いた。午前8時すぎに目覚めたあと、彼がチェックしたのはまたもや最初のもののうちの一つで、次の45分間で4回行った。彼は午前10時20分と10時45分のあいだに精力的に視聴し、その後仕事に就いた。午後5時より前に2時間半、彼はティックトックをちらっと見て、5時になるともう一度見た。彼は午後9時32分、9時42分（2回）と午後10時08分にまたアプリを開いた。午後11時38分に、再びティックトックを開いて動画を10本見て、ベッドに入った――翌日の午前1時を少し過ぎたころに、彼は再びアプリを開いた。

1日のうちに、シャキールは786本の動画を視聴した――24時間ごとに彼が視聴したティックトック動画の平均数は264本とすでに十分多いのだが、その3倍になっていた。プール、飲酒、美人ブロガー、面接に関するアドバイス以外の動画は、彼の興味を見抜き、集中が削がれるのはどんなものかを例示している。彼が見せられたのは、ワシントンDCの高級アパートメントや家具、巨大な掘削機による土地の柵の割れ目、近くの湖から最近掘られた穴に流れ込む激しい水の流れ、風が携帯電話のマイクをカタカタ鳴らすなかヨットで乗り出すありえないほど美しい人々、といったものを撮った動画だった。

そして言うまでもなく、彼は午前10時36分少し前にチャーリー・ダミリオの必須の動画を提供された。ティックトック最大のスターで、今回は入念に振り付けられたダベイビーのロックスターの動画で、彼女の腰のあたりをなで、ライラックが描かれた爪を見せつけている。

シャキールがそれぞれの動画にとどまっている時間にも意味がある。多くの人たちと同じように、自然の力や畏怖の念を起こさせるもの——たとえば掘削機の歯によって湖を拡張する動画——に直面すると、少し長めにとどまっている。ときおり彼は、スクロールして次に移る前に、同じ動画を複数回見ることもある。彼が見たなかに、たとえば26歳のマライア・アマートがカメラに近づき、寝室でグレーのスウェットパンツとぴったりとしたクロップトップを着てポップソングに合わせてダンスを踊る動画がある。これには、ダブダブのパジャマを着てユーザーにティックトックで人気のダンスの振り付けを教える動画よりも少し長めにとどまった（シャキールはフリックして次の動画に移る前に1秒も無駄にしなかった）。

シャキールは私が出会ったなかで最も熱心なユーザーの一人だ。ほかの人たちはもっと控えめに使っている。ウエストロンドン出身で自称ティックトックファンのホリー・ジェラティは、250日で2142本の動画を視聴した——1日約8本だ。とはいえ、ティックトックとの関係はそれより少し複雑だ。彼女は数日間、ときには数週間ログインしないことがあり、その後、堰を切ったように1日に10回以上アプリを開くことがある。２０２０年7月20日、たとえば、彼女はティックトックの異なる13セッションで１３２本の動画を視聴した。それはまだおとなしいほうで、彼女が狂ったように動画を見たときには、６月29日の午前11時30分から６月30日の午前11時30分までの24時間で14回ログインし、３００本以上の動画を視聴した。

　その数字は、ティックトックがユーザーについて集められる情報のレベルを表していて、アルゴリズムの威力を補強し、何が人々の関心を引いているのかを判断する。現代の手相占い（パームリーダー）のように、ヒントときっかけを利用して、どんな人物なのか、何を聞きたがっているのか――あるいはこの場合、何を見たがっているのか――を理解する。しかし、余興のペテン師と違って、その情報のために掘り返す必要はない。ユーザーが快く提供してくれる。それに、この情報はティックトックがそのサービスを構築し、データを管理し、体験をよりよいものにするのに役に立っている。これはどのサードパーティーの企業も夢にも思わなかったものだ。ティックトックはすべてのカードを握っていたいのだ。

16 エコシステムをわかって制御する

ビジネスの歴史には、繁盛している新しい産業の必要に応じてサービスを提供する会社の例が多々見られる。たとえば、映画産業が成長していくにつれて、ハリウッドのスタジオ撮影所のハンガーの数は増えていった。今日、タレントのエージェントとキャスティングディレクターはレストランで会って、俳優の役割について同意する。特殊効果室、セットデザイナー、小道具ストアやケイタリングが映画製作に必要なあらゆるものを提供する。オンライン産業でも同様に、ウェブサイトをデザインしてもらうための人を雇用し、会社の営業のために、またグーグルサーチのトップのランキングを確保するために、人を雇うことができる。ユーチューブが初めて噂の事業になりかけたとき、多くの腰巾着が彼らにサービスを提供しようと市場に押し寄せた。

2000年代後半、ゴールドラッシュが起きたが、そこでは、自分自身をマルチ――チャンネル・ネットワーク（MCNs）と呼ぶ会社がタレント・エージェント、マネジャー、ディールブローカーとして働く代わりに、クリエイターの収入を得るようになった。（イタリアでは、最悪のMCNが彼らのインフルエンサー（の値段）を高く設定し、利益をかすめ取りながら、タレントに対する個人的サポートはほとんど提供しなかった）。その産業はやがて腰を落ち着けて、細分化したサプライチェーンを開始した。タレントのエージェントはブランド取引を管理し、人気商品を斡旋した。マネジャーは売り出し中のユーチューバーの混沌としたスケジュールをやりくりし、お金になる動画を制作する時間を確保し、そのかたわら、要求がましいファンを近寄らせないようにしながら、彼らの成功の秘密を熱心に知りたがるジャーナリストからのインタビュー要請に向かわせる。インフルエンサー・マーケティング・スペシャリストは、輝ける、若い、オンラインクリエイターのいる既存のオフライン・ビジネス・ブランドと連携し、あらゆる取引からカットした分を公平にシェアした。弁護士らはインフルエンサーとの取引の起草を専門とし、ブランド取引を広告のルールの範囲内で仲介することにしていた。

今日、ユーチューブのエコシステムを俯瞰すると、あなたには腰巾着、有力者、ビッグディール・ブローカーの全世界が、専門度や成功の度合いはさまざまだが、見えるだろう。ユーチューブはビジネスを支えているが、同時に、カメラの前に立つクリエイターに仕事を提供している。ティックトックは違う。その業界の習慣はまだ生き残っているのだが、ティックトックでの成功の秘訣が見つかったと考えているコンサルタントは、前途有望な若者に、彼らの能力を活かすチャンスを提供し、マネジャーは名声が得られる最初のステージまでタレントを導く。バイトダンスがそう決めたのは、ユーチューブとは対照的に、自分自身のためにより大きなパイの一切れをキープしておく機会が欲しかったからだ。インスタグラムやユーチューブのようなほかのプラットフォームに結びついていたとき、自由に市場に出回ることができるインフルエンサー産業の全部門は、ティックトックとしっかり結びついていた。

多くの会社は、人を揺さぶる能力のある人を見出し、誰がフォローすべきホットで新たなクリエイターなのかと、その洞察を提供する。しかしティックトックは、バイトダンスを通して中国のバックグラウンドを維持しているため、エコシステムの多くを秘密にしておきたがる。「それは中国の会社のやり方で、西欧では一部の会社がその産業にひたすら慣れるよう努めるしかありません」と言うのは、ドイツの起業家ファビアン・アウエハントで、彼は２０１６年、中国深圳にＵｐｌａｂという会社を立ち上げた。彼はドウインと呼ばれる新しいアプリの強い成長力に資本を出す機会があることに気づいたとき、シンガポールの仕事をやめた。

それは賢明なビジネス上の決断だった。アプリのユーザーと彼らに宣伝したい会社にとって、最も役立つサービスのいくつかを提供することによって、多くの収入を保つことができる。それはユーチューブでは完全に同じやり方では管理しえないモデルである。コンピューターメーカーをファーストパーティー、ユーザーをセカンドパーティー、周辺機器を開発販売する外部企業などをサードパーティーというが、しばしば最初にサードパーティーが来て、よりよいブランド契約を仲介し、ユーチューブを信頼して、ビッグスターの広告宣伝費から上前を撥ねさせる。しかし、それは企業の能力が大幅に制限されていることを意味する。エージェントとタレントブローカーはまだティックトックを必要とするが、プラットフォーム外で取引を行う能力がもっと重要だ。ティックトックのスターには、テレビ番組への出演などが、アプリそのものよりはるかに大切である。もしもあなたがバイトダンスなら、そして広告の販売を、またアプリ内の製品のプロモーションを管理することができるなら、一つひとつについて仲介料を保持できる。中国では、バイトダンスの270億ドルの宣伝収入の60％はドウインからのみくる。それがバイトダンスの収入のトップにくるというのは、バイトダンスがアプリを所有し、運営しており、そこですべてのコンテンツが見られるからである。二重づけ（同じところから受け取る2つの収入）が行われる限り、それは悪い取引ではない。

あなたは、クリエイターや広告主がそれに対して疑いをもって扱っているのではないかと考えるかもしれない。結局、もしもそのアプリを動かしている会社がマーケットも動かしているなら、各取引の当事者ではなく、自分の才能にふさわしい値段設定をやめることは何もない。それは統制経済であって、市場経済ではない。しかし、ティックトックは前例に基づいて取引を行い、関係者全員にそのやり方の利点を納得させることができる。20年のほとんどのあいだ、インフルエンサーマーケティングの発生期はその初期の偽物のセールスマン、つまり、市場が成長しているさまを見る洞察力があって若干のあぶく銭をつくろうとしていた人たちの悪評を振り払うのに苦労してきた。ところが、アーリーアダプターは十分に理解していなかったか、長期的関係を築く重要さを評価してなくて、しばしばそのタレントと広告主を傷つけてしまう。早期のＭＣＮｓはタレントについて大げさに言い、その人に合ったアドバイスやサポートを提供すらできないのに、クリエイターの大きな名簿を作り上げたりしていた。そしてその結果、品質が落ちてしまった。企業は胡散臭い行為を知ることになった。インフルエンサーは燃え尽きたように感じ、広告主は騙されたように感じた。わくわくさせるようなフリーマーケットだったかもしれないものが、少数のアーリーアダプターの強欲によって穢されてしまったのである。

インフルエンサーマーケティングはそれ以来回復していない。それは広告の連続的調査の対象となってきたからだが、特にアメリカとイギリスで目立つのは、インフルエンサーは商品の販売促進のためにお金を受け取るが、自分のオンライン投稿でそれを言明しないからである。取調官に学び、メディアに泥を塗られた。インフルエンサーマーケットにお金を渡したい会社は、21世紀に競争するにはそうしなければならないことを知っている。何かのペテン師とか、不案内、ターゲットを間違えた宣伝などで、おしまいにはお金を費やしてしまうかもしれないのが市場であると認識していた。会社は泥棒国家を扱うかのように、インテリアとか何か不都合があったときにお金をなくすだろうと会社の予算に入れてあった。つまり、市場とはまともに働かないものである。

そのことが、ティックトック・クリエイターマーケットプレイスが2020年初めに発足したときに、温かく歓迎された理由である。プラットフォーム、すなわちクリエイターとブランドをお互いに結び付けるウェブサイトは、インフルエンサーにその製品を売り歩くことを許し、また会社にも許すが、両者にとってはありがたいことである。新しい電話やコンピューターゲームなどの商品を宣伝したいビジネスでは、さまざまな異なるフィルターを通して、1万人以上のフォロワーを有するクリエイターを検索できる。国ごとに調べることができるが、たとえばアメリカ在住だと、州ごとにも検索できる。アプリの小区分、たとえばスポーツのスター、ビューティーインフルエンサーとかフードクリエイターで検索できる。そしてまた、一緒に仕事をしたいと思うクリエイターが見つかったら、あなたのブランドにぴったりかどうかを決めるために、視聴者の統計データを見ることもできる。それには彼らの年齢、性別、住所ばかりか、ティックトックに接続するときに使用しているデバイスの種類も含まれる。

いったんブランドがそのクリエイターは商品を販促するのによさそうだと判断すれば、クリエイターマーケットプレイスがその人物に接触して、商品を動画で説明するのに彼らがいくら望んでいるのか、その交渉に入る許可を得る。最初から最後まで、ティックトックが理論的に監督するが、それはそういうものであろう。そしてその監督のおかげで、ブランドとインフルエンサーはインフルエンサーマーケティングのジャングルで失敗のリスクを犯すより、すべてがより合理的だと確信することができよう。

それはすべての関係者を安心させる賢い決断である。バイトダンスは、ヴァインがクリエイターのコンテンツを所持していたことから起きた問題を見て、このクリエイターマーケットプレイスを推進したのである。

17

才能をマネジメントする

スパイなら、大学にいるところで肩に手を置かれ、二言三言ささやかれた揚げ句リクルートされるとはよく知られた話だ。同じ年ごろのティックトックのスターには、タレントマネジメント会社が権利代行しているエリートインフルエンサーのクラブにようこそと誘う招待状が、しばしばインスタグラムのダイレクトメッセージで届く。

21歳のノア・ベックはスターサッカー選手で、ユタ州学校チームでミッドフィルダーとしてプレイし、その後、ポートランド大学のサッカーチームであるポートランド・パイロッツに参加した。大学からは全額支給のスポーツ奨学金を提示された。ところでポートランドは、単に優秀なサッカー選手を買おうとしていたのではない。それと同時に、ティックトックでその名が知られつつある万能のプレイメーカー（攻撃を組み立てる選手）をリクルートしたのである。

そのころには、ベックはティックトックで再生回数をまれに見る数に伸ばしていた。それは、ソーシャルメディアの若いアイドルの卵を管理している『タレントXエンタテインメント』のような会社が、みんなに周知させるほど多数の視聴者だった。だからその会社は、有望な投資先としてベックの可能性を精査したのち、彼を誘いに来たのである。

ポートランド大学にも、パイロッツにも、その日が来ようとしているのがわかっていたのだろう。2011年のユーチューブでは、白熱するバスケットボールの試合の真っ只中でも、フラッシュモブ（パフォーマンスのダンスをして、すぐに解散する集団）のバイラルビデオ（ネットで共有するビデオ）がなければ、ユーチューブにおけるスポーツチームの存在は微々たるものだった。たかだか2000人がそのサイトを予約登録していた。そしてほとんどの動画が数百ビューにすぎなかった。ところが、サッカーチームが最近契約を交わしたノア・ベックに関する98秒間の紹介は69万ビューを獲得したのである。ベックはサッカーのピッチの中央にいる存在とは別の何かになることが明らかに運命づけられていた。

2020年半ばに、タレントXエンタテインメントがティックトックを追跡した資料を見せてもらったところ、ティックトックにおけるベックのファンの89パーセント強が女性であった。ファン10人中4人は米国から、その次に人気があるファングループは英国、ブラジル、カナダ、ドイツのものだった。2020年7月最後の週には、彼の視聴者は110万人となった。2020年の半ば、彼の動画の平均再生回数は630万回で、視聴者の4分の1は18歳以下。2020年の晩春、彼はソーシャルメディア最速の新進スターとなっていた。

ベックは、レンツ社とタレントXエンタテインメントが代表を務めるティックトックのクリエイターグループに接近した。そこはスウェイLAのビッグスターの一人であり、人任せにしないビジネスマンでもあるジョシュ・リチャードが立ち上げたものである。タレントXは、同社が代理人を務めるクリエイターの一人を通して、1月におけるティックトックとインスタグラムでベックが流星のように華々しい人気上昇を遂げたことを知った。情報収集をしたところ、彼は異常なまでに高いエンゲージメント率を示した。つまり、人々はソーシャルメディアのプラットフォームで彼の過去のコンテンツをスクロールしたばかりか、聞いたこともない頻度で、いいねを押し、コメントを残し、シェアしたのであった。最初、タレントXはわざと彼に話しかけようとはしなかった。「彼は全額支給のサッカー奨学金をもらっている」とレンツは言う。「アメリカでは、君がもしNCAAのアスリートであるとすると、ソーシャルメディアをやってお金を稼ごうなんてしないよね。彼と代理人交渉をして何になるというのだ、無駄だ」

しかしベックのソーシャルメディアがさらに膨れ上がるにつれ、彼は大学を去り、奨学金を返納し、フルタイムでソーシャルメディアに打ち込む予定であることを発表した。

彼が次回ロサンゼルスに来たとき、レンツとタレントXの副社長であるマイク・グリューエンは彼を2度ディナーに連れて行き、彼の両親とはフェイスタイムで話をした。ベックに対して、ソーシャルメディアでのつかの間の名声を得るために、教育とスポーツのキャリアを捨てることの長所と短所について話をした。「彼にはきわめてざっくばらんに話をしました」「いいかい、君には全額支給の奨学金がある。ほかの誰よりも早い成長を成し遂げたというちょうどその時にいるんだよ」と言った。「そしてわれわれはどうやって彼の才能をお金に換え、キャリアを育てることができるかについて話しました」。2020年6月、ベックはタレントXとの契約にサインをし、1か月以内に扱う7つのブランドを完成させた。彼のインスタグラムのフォロワー数は20万から220万に成長し、彼のティックトックサポート数も同様に増大した。

ベックがタレントXと契約していたころ、彼はスウェイLAにも参加していた。それはハイプハウス（ティックトックスターが一つ屋根の下で暮らすリアルライフを密着して映し出す）の一つで、彼が出演することで、ティックトックの成長に資本を投下し、リソース（資源・資金や手腕など）やタレント、その結果、視聴者を共有して、アプリの魅力を最大限にしようとした。最初、彼はカリフォルニアの豪華なマンションに住んでいて、ティックトックについて、何も知らなかった。

レンツはスウェイLAのメンバーであり、その状況を把握していた。ベックはソーシャルメディアの成功を収めた比類のない人気タレントだった。メンバーはベックの数字を見た。ティックトックで彼がどれほど成長しているかを知ったのだ。そしてベック自身も。ベックはほかののティックトッカーとも協力せず、タイプの異なるフォロワーやより多いフォロワーをもつ他のクリエイターらの栄光を利用しようとはしなかった。

ベックはスウェイLAに参加した。9日もすると、ソーシャルメディアのスターらと連携したため、彼のインスタグラムのフォロワー数は20万から100万人になった。2020年7月下旬、われわれが話したように、レンツはベックについては6桁の扱いとすることに決めたが、それは彼のことを一握りのいいねをもっているブランドだと推奨することだった。

だが、それは始まりにすぎなかった。「われわれは長続きのするビジネスを打ち立てたかった。クライアントが1年もしないうちに急に来なくなるとか、消えてしまうことがないようなね」とレンツは言う。

ベックに関しては、それは5つのポイントプランを指している。それには資金援助（スポンサー）、販売促進の範囲、ビジネスのパートナーシップが含まれ、そこで彼は自分に関連する会社の所有権を取得し、ユーチューブチャンネルをセットアップして、彼の動画と並んで表示される広告から毎月の収入を得ることができる。そしてハリウッドでの配役も手に入れた。そのため、レンツは3週間ほど彼を俳優養成所に入所させた。未来のスターとしてのベックに対する投資は目覚ましいものがあった。会社は彼を売り出すためにどれだけ費やしたかを話すのは拒否したが、それは巨額であったことがうかがえる。

それと引き換えに、タレントXは全収入の20パーセントを取得し、ベックには契約の半分が入ることを期待した。「彼に求めたのは、妥当であること、首尾一貫していること、ブランドを安全に守ること、コンテンツを投稿すること、問題を起こさないことです」とレンツは言う。「それは明白に投資です」

それはある夏真っ盛りの挑戦だった。そのとき、ベックはこれ見よがしの誕生パーティーを主催したことで批判された。ちょうど新型コロナウイルスがカリフォルニア中に蔓延していたときに、同じメガマンションに数十人のインフルエンサーを連れてきたのだった。ベックは別のティックトッカーであり、スウェイＬＡの創始者メンバーで、アプリのフォロワー数が２０００万人いるブライス・ホールの21歳の誕生日を祝っていた。

ハリウッドヒルで開催されたパーティーを撮った動画に映っていたのは、ソーシャルディスタンスがほとんどない人の群れ、たっぷりの飲み物、ちっぽけなアンダーウェアをまとったストリッパー、それからロサンゼルス警察署からの一人の訪問者だ。

その警官はちょっと見ると、イベントのために雇われた警官のコスチュームを身にまとった男性ストリッパーと見分けがつかなかったが、パーティーを解散させるために来ていたのだった。

その1週間後、彼は億万長者の家が立ち並ぶハリウッドのアッピア街道にある家を訪問していた。ロサンゼルス市長は彼らへの電気と水道を遮断すると脅したのだった。スウェイLAのホールやベックその他数人はおそらく世界的なパンデミックのあいだ、自分たちが示したファン愛を後悔していなかっただろう。のちにティックトックに投稿した動画で、電気と水道が今にも止められるかもしれないと警告したモラル意識の高いファンを彼らはからかった。

それは浅はかな強がりの表示であった。その後ほどなくして市長は記者会見を開き、市のパーティーハウス条例に違反するとしてホールとグレイの調査を始めるよう検察官に指示したと表明した。もし彼らが有罪となり、判決が下りると、1年間の入獄と罰金もありえた。ベックは法廷で訴追をかわそうと試みた。彼の巨大なサポート数を引っ込めようとする試みが、彼が好んだ不適切な投稿を見つけようとする人々、彼のサッカー人生についてつくられたと思しき疑惑を強調しようとする人々によって始まった。ポートランドのこととともに、はるかに伝統のあるイェール大学で学位を提供されたことがあったということへの不信までが含まれた。しかし、それはこの若い男にとっては有益な瞬間であった。視聴者はたちまちあなたを褒めたたえて有名にするかと思えば、また抑え込むことができるのだ。論争がすぎる。ベックはティックトックのバッドボーイのままである。つまり、ビジネスにとってはバッドなことではない。1年後、この本の原書が印刷に回されたとき、彼のフォロワーは2750万人のファンに膨れ上がっていた。

18

クリエイター育成に1000億円以上の投資

プラットフォームにユーザーを引き付けるため、気前よくお金を使うばかりか、ティックトックはその創生期から地域社会の主だったリーダーの意見を育み、尊重してきた。中国ではドウインのクリエイターたちの一部に対して、バイトダンスは直接的な経済支援を行ってきた。ベータテスターとして契約して雇用することで経済的に支え、新たに現れた個性を支援している。それは一種の仕組みのようなもので、インフルエンサーのマーケティング部長ファビアン・アウエハントのガールフレンドは黎明期のドウインに参加したとき、気がつくと自分がそういう状態にあった。しかし、会社は、アプリに投稿し始めたカルディ・Bのようなセレブリティに巨額の報酬を支払うことだけでよしとせず、アレックス・ジューがミュージカリーで予見したように、クリエイターを支援し始めるまでに西側諸国における正式の発足から2年かかった。

この2年の間に、ティックトックは巨大になった。

２０１８年1月では、その月のユーザーは５５００万人だったのが、２０２０年10月には7億３２００万人に成長していた。クリエイターのなかには本物のスターとなり、テレビとの契約にサインをし、ハリウッドのタレント養成所から申し入れを得たり、ティックトックの境界を超えて彼らのブランドを広める本を出版したりする者もいた。もしもティックトックがクリエイターにパンの一片を稼ぎ始める能力を与えなければ、ヴァインのような反乱が起こされていただろう。そう、それは起きたのである。

ティックトッククリエイター基金は最初アメリカに置かれ、２０２０年から２０２２年の間に10億ドルの投資を約束していた。さらに3億ドルが、ヨーロッパやそのほかの同じ経過をたどると思われるクリエイターのために取っておかれた。それは名声を打ち立てるために奮闘してきた人たちにとってはゲームチェンジャーであったが、ティックトックとしては、大金ではなかった。

クリス・ニュービルは24歳。彼が子供だった頃、一家はニューメキシコのリオランチョとフロリダ州ルッツの間を行き来していた。多くのデジタルクリエイターのように、彼もユーチューブから始め、ティックトックを見出す前は、コメディ動画を投稿していた。彼は今やしっかりとアプリの上層部にいる。ハードデータは存在しないが、1か月に1億から3億ビューというのは、アメリカにおけるトップ50のティックトッカーに入ると彼は思っている。彼はアプリの女王ダミリオ姉妹の友人であり、ハイプハウスとスウェイLA両方のタレントとも付き合っていた。つまり、彼にはコネがあった。そして彼は人気があった。彼が美人で有名な友達とカメラの前に立ちコメディスキットやピエロを投稿するたび、ブロンドの、輝く白い歯をしたスターを700万の人々がフォローするのだった。

ニュービルはクリエイター基金のことを聞いた瞬間から、500万以上のフォロワーを現金化したいとその機会をずっと待ち望んできた。「これは実行1日目か何かのようなものに違いない」と彼は私に言った。彼も、他の人たちも、自分たちとアプリ間の仕組みが不均衡に思えていささかフラストレーションを募らせ始めていた。そしてヴァイン最大のスターたちが数年前に抱いていた心配がこだましてきた。「今すぐ、クリエイターたちはアプリ側と交渉しないと何も得られない」と彼は説明した。しかし、ものごとは変わろうとしていること、資金援助はティックトックから来ていること、そしてティックトックこそ彼の才能を認め、彼がティックトックに何をもたらすかを知っていることを思って、ワクワクしていた。

10億ドルと聞くと大金に聞こえる。実際多額であるが、世界中の数億人のユーザーであることを踏まえると、それは少額とも言える。誰もがキャッシュを受ける資格があるわけではない。まず18歳以上でなければならない。動画がある1か月の間に1万回以上見られ、1万人以上のフォロワーがいなければならない。しかし、たとえばヨーロッパでは、ティックトックは数千人のうち数十人は、3年間で支出すると予測している3億ドルをシェアする機会があるはずだと予測している。クリエイター基金への最初の入会手続きが最初の支払い日であり、たいていの人にとって昼食代にもならないとわかっても、おそらく驚かないだろう。

何十人ものクリエイターは稼ぎを私に教えてくれたが、なかには懐疑的な人がおり、たいていの人は自信を失っていた。彼らが期待していたのは大金だったが、その代わりに手に入れたのは1000ビューあたりほぼ3セントだった。ティックトックの本物のスーパースターの一人、ニュービルはだいたいその半分の金額を得た。より人気がある彼の女友達さえ、1000ビューあたり平均1・2セントになると、彼は計算した。初日、彼は調子がよくて、人々はニュービルの動画を380万回見た。それに対して、彼は60・22ドルを受け取った。なぜその数字がそんなに低く思えたのか、彼は合理的に考えようとした。それはなぜかというと、彼の国際的ビュワーの大部分は、広告によってティックトックが通貨とすることができない人々が大部分だったせいだろうか？　いやそれは違う。彼は私に彼の実態的人口統計を見せてくれたが、彼の最大のベースはアメリカにあることが示されていた。彼は大いに失望した。

数日後、彼と一緒にチェックインした。今や彼は決めかねていた。「一方では、少なくともわれわれは何かを得ようとしている。しかし他方では、1000ビューあたり1ペニーというのは屈辱的に思える」と彼は言った。これらのビューから彼が稼いだのは、月にして2000ドルから6000ドルだ。平均的なアメリカ人になら多いかもしれないが、彼はロサンゼルスに住み、まさに彼がそうであるトップのティックトッカーとしてのライフスタイルを維持していたのだ。「これじゃあ、実際のところ、懸命に働きながら自分の視聴者を増やそうと努めている、平均的なクリエイターみたいだ。ティックトックのために時間を費やして、彼らのおかげでペニーが支払われるみたいだ」と彼は嘆いた。ティックトックは2年間ずっと、クリエイターが安定した生活ができるようにすると言ってきたが、基金は状況を変えてくれなかった、と彼は嘆いた。

ヴァインの教訓から何かを学んだとはいえ、クリエイターがこれからも幸せでいられるために、ティックトックは報酬を調整する必要があるだろう。ただ、それを優先するのは難しいけれど。

19

スターを育てるための追加資金

ミュージカリーがバイトダンスに買収される以前、私がアレックス・ジューに最初のインタビューを行った2016年にさかのぼると、ティックトックのユーザーは他のソーシャルメディアユーザーより年齢は平均的に若い傾向があった。とはいえ、カメラの周りで確信をもってふざけることができるティーンエイジャーの数は世界中でほんのわずかである。いくつかの点で、アプリは彼らを超え、束縛されない、絶え間ない成長を維持するために、ユーザーベースで拡大し始める必要があった。

そのことについては、ユーチューブの前経営者であるリッチ・ウォーターワースは、クリスマスの12日前にティックトックに乗りかえる前、グーグルが所有する動画プラットフォームで10年間を費やしたので、よくわかっていた。２０１９年はティックトックにとって並外れた年だったが、その視野を広げるためには動画プラットフォームに関する経験が必要だった、と彼は12月下旬、私に言ったものだ。彼はウイルトシャーから来たクリス・フランクリンという61歳の農夫の例を持ち出した。彼は子供たちの教育のために農場の動物と触れさせるチャリティーの一つ、カーンヒルカントリーサイドセンターを運営していた。

フランクリンという名前は以前に聞いたことがあった。彼はユーザー層の拡大を示すために会社がストックしていたユーザーの一人であると、一本の電話で教えられた。動画に登場するたくさんの若く魅力的な顔と比べると、フランクリンはそこからははずれているとすぐにわかる。しかし6か月の間に、ものごとは変化していた。

たしかに、ティックトックはそのコアなカテゴリーである若い人たちの間ではまだ途方もない成長を見せていた。ウォーターワースはほかの技術系重役のように、詳細はシェアしたがらなかったが、年齢16歳から24歳のユーザーのあいだで実に目覚ましい成長を見せていることは認めた。優れたジャーナリストの例にならって、ともかく私はデータを集めた。２０２０年の夏までにティックトックが広告主に配布した内部資料によると、イギリスにおけるティックトックの１７００万人に上る毎月のアクティブユーザーの39％が18～24歳だった。次いで25％が25～34歳。

「われわれには、プラットフォームに言い寄る両親という重荷、プラットフォームとは何かという認識を変えようとするより年上のミレニアルズ――プラスの重荷があった」とティックトック・イギリスの編集責任者であるヤズミン・ハウは言った。「彼らは、それを口パクで歌うか、ダンスをしているだけだと考えた。しかしユーザー層は多様になってきているので、コンテンツもそれに従って多様化してきている。彼らは消費されやすいコンテンツを創造し始めたのだ」

現実には、ユーザーはとても若く、児童に対する広告宣伝は禁止されているため、ティックトックの重役たちは、2016年のミュージカリー協同創設者がユーザーは13歳と若いことを認めたときよりも、2020年は明確にしたがらなかった。ユーザーの年齢について話したがらないのは、9か月弱前に罰金支払いの例があったからだ。2019年2月、オンラインでの不適切なデータ収集から子供を保護しようというアメリカの規則にミュージカリーが違反したとして、ティックトックは570万ドルの罰金を科せられたのだった。この罰金を科したアメリカ連邦取引委員会（FTC）は、ミュージカリーのオーナーが「多くの子供がアプリを使用していたが、両親の許可を得ないままで、〝13〟歳以下のユーザーから名前やeメールアドレスその他の個人情報を集めていたことを知っていた」として罰金を言い渡したのである。

追加の罰金がティックトックやバイトダンスに科せられることはなかったが、その波及は子供たちの間で流行っているあらゆるアプリで感じられた。２０１９年9月、ＦＴＣは再び襲ってきた。ユーチューブはオンラインから子供たちを守るという同じ法律に違反するという取締官と和解に到達し、１億７０００万ドルを支払うことに同意した。子供のユーザーがいるあらゆるソーシャルプラットフォームにとって、それは「重要なマイルストーン」だったと、オンラインでの子供の安全性に注視している会社の最高責任者の一人、ディラン・コリンズは言った。

さらに２０１９年12月、ティックトックは明確な同意書なしに13歳以下の子供からデータを集めたという疑いをかけられて告訴対象となったが、これについては、会社は否定した。ところが、リークされた内部情報では、ティックトックユーザー４人に１人は年齢13歳から17歳の間だった。さらに、42％は24歳以下。２０１９年3月にそのアプリにログインした35歳以上のユーザーはたったの15％だったのだ。

若いユーザーはティックトックを輝かせてくれるが、アプリの経営者にとって彼らは頭痛の種でもあった。そう、ティックトックは拡大したかった。ティックトックは25歳から34歳の間、さらにはそれ以上の年齢層のユーザーにおける急速な成長を目指していた。「ティックトックはそこでシェアされているコンテンツという観点からも、われわれが見ているクリエイターやユーザーのタイプという観点からも、広範囲に及ぼうとしている」

ティックトックは、デヴィッド・ベッカムやポップスターのルイス・キャパルディを特集して、テレビでの伝統的なクリスマス宣伝キャンペーンに巨費を費やし、アプリ情報を電波で満たすことで人々の関心を引き、それと同時に若い肉親がクリスマスを祝いながら、自分のティックトックに出てくれるようせがむのを利用する計画を立てた（ティックトック内部では使い古された戦術。2019年だけでアメリカにおいて、会社は1日に300万ドルを広告宣伝に費やした）。

しかし、きらびやかなテレビ宣伝キャンペーンでは、ティックトックロゴの青と赤でライトアップされたネオンフレームをジャンプして入ったり出たりする人々が映し出されていたが、ほとんど何も起こらなかった。キャンペーンのためのそのネオンフレームが収められた200キログラムの木箱がロンドンのホルボーンにあるオフィスに運び込まれた。会社の1ダースほどの社員がそれを階段で3階まで引っ張り上げたのだった。

ここで雇われている人たちの給料はよかった。世界的に成功を収めているティックトックの仕事が安いはずがなく、また苦労して稼いだユーザーに、会社もまた多くの方法で支払おうとしている。それは単に、お金を派手に使うヴィドコンのようなイベントでぶっ通しに続くスポンサーシップでもなく、チャート1位をいくポップスターやセレブリティを呼び物にするテレビの宣伝広告キャンペーンでもない。給料がすでに吊り上がっているIT業界では、フェイスブックやユーチューブといった競合会社から説得して引き抜いてきた社員に、ティックトックは最高額の給料を払っている。ティックトックで機械学習エンジニアはスタッフ10人のチームを率いると、20万ドルを稼ぐことができた。ティックトックは多くの大手企業を見渡し、ユーチューブやその他ヤフーのような別のプラットフォームからスタッフをリクルートしてきた。

ティックトックはまたいくつかの異業種からも雇用した。マーケティングチームの多くは元ジャーナリストで、彼らの元雇用主らがとことん仕事を縮小していたのだ。ある2人は、英国第三政党である自由民主党の元リーダーのオフィスからヘッドハンティングされた。一方、ティックトックの政府関連および講習制作のテオ・バートラム部長は2人の英国首相の前アドバイザーであった。ロンドンにインターナショナル部門の基礎づくりを行うため、会社は大量雇用をし、ダブリンではヨーロッパ全土のデータを扱うため5億ドルの信託安全センターを設けると発表した。2020年半ば、ティックトックのウェブサイトに表示される欠員は、その15%がこれら2つのオフィスからのものだった。

タレントにも出費がなされた。クリエイター基金はユーザーをランク付け、アクセス者やユーザーを連れてくるとみなせば、大金を派手に使おうとした。セレブは安くはつかないため、ティックトックはアカウントを登録しているもののほかのプラットフォームで活動するクリエイターにはお金を提供したいと考えていた。ティックトックからのキャスティング依頼がインフルエンサーを通してマーケティングエージェンシーにまき散らされ、すでにユーチューブやインスタグラムで活躍しているコメディアン、ゲーマー、DIYインフルエンサーやペットクリエイターなどに、ティックトックでコンテンツを投稿しないかと要望した。アカウントを作るためにティックトックは彼らに500ドルを提供した。1週間のスケジュールに従って投稿した動画ごとに、彼らは25ドルを受け取った。ティックトックは8週間で、週に3本、11秒から16秒の動画を投稿することを期待した。インフルエンサーはほかのソーシャルメディアについては、キャプションにせよ、動画にせよ、コメントは許されず、ハッシュタグ#TikTokPartnerに含まれなければならなかった。

要望をすべて満たすと、インフルエンサーには銀行口座に1100ドルが振り込まれた。また、10万ビューに達した動画ごとに追加で200ドル、20万ビューごとに300ドル、100万ビュー以上に達した動画には500ドルが支払われた。

どれだけの人がティックトックの申し出に応えるのだろうか。#TikTokPartnerとタグ付けされた公式インフルエンサーの投稿がある一方で、約13万5000本の動画がハッシュタグを使っており、約780億回見られていた。ティックトックの分析ツールであるPentosを使って集めたデータによれば、そのハッシュタグを用いている動画は平均約5万8000回見られていた。

　このようなボーナスを求めるインフルエンサーにとって、アプリに4分半の動画を投稿するたびに1万3000ドル稼ぐことが理論的には可能となる。もっと大きなニンジンが別のインフルエンサーの目の前にぶら下がっていた。2018年12月、多くのインフルエンサーがインフルエンサーマーケティングエージェンシーと契約すると、ティックトックにコンテンツを投稿し始めるよう求められた。その代わり、彼らは500ドルを受け取り、パフォーマンス次第で5000ドルのボーナスを稼ぐことができた。

　同じような書類がインドのインフルエンサー業界あたりでもシェアされていたということは、その国の多くのクリエイターたちはティックトックに投稿しただけで報酬を得るばかりか、そのコンテンツをより広くシェアすることでも報酬が得られる契約をしていることを示している。伝えられたところによると、クリエイターらは彼らのプラットフォームにおける人気度に応じて、月に250ドルから1750ドルを稼ぐことができる。それは、平均的な月収が425ドルあたりというような国でなら、とても気前がいい話ではある。

　もしそういう仕事に就いているなら、噂では少なくとも一人のインスタグラムインフルエンサーに、その作品を売り歩くためにティックトックが払ったという額に比べると、はした金であるとはいえ、悪い仕事ではない。ウォールストリートジャーナルによれば、バイトダンスは一本の動画を広めるために100万ドル以上の大金をしぶしぶ払ったことがあるという。

「それは実際のところ中国ではきわめてありうる戦略です」とファビアン・アウエハントは言う。彼は、これぞ中国ではプラットフォームにクリエイターを引きつける一般的な方法であると熟知している。今も世界中で運用されている2つのショート動画アプリを、バイトダンスがどのようにして育ててきたかをずっとモニターしてきたばかりか、彼のパートナーのエリンはドウイン最初のクリエイターであり、そして今もそうなのだ。

「彼女はその報酬を得た」と彼は言う。「ちょっとまとまったお金をね」。2016年ドウインがエイミーとして発足して間もなく、バイトダンスの代表者から接触を受けた彼女は、別のプラットフォームにベースを築いていて、会社がアプローチした20~30人のクリエイターのうちの1人だった。皮肉なことに、バイトダンスはアウエハントのパートナーを、1年後には買収することになったアプリであるミュージカリーから、ヘッドハンティングしたいと狙っていたのだった。そのオファーは直球で届いた。「エイミーに加わり、コンテンツを投稿してほしい。そうすれば、投稿した動画1本ごとに300元が受け取れる。最大月に4000元を上限としよう」。その額は、当時約600ドルに相当したが、ざっと言って、中国の初任給とほぼ同額だった。「かなりの高額です」とアウエハントは言う。「彼らは基本的にその額を月に数本の動画を作るたびに受け取りましたから」。そしてその金額は人の名声に応じて違っていた。もっと受け取っていた人もいたのだ。

彼のパートナーはお金を受け取り、共同制作者にもなった。2年間、彼女は会社とともに働き、コンテンツを制作しながら、アプリの開発のしかたについてフィードバックを提供していた。それは今日まで続く慣習となっている。私が話をした一人のアメリカ人ティックトックユーザーは2021年3月に届いたアプリへのメッセージで、ベータテスティンググループに参加するよう招待された。そこでは、ティックトックの新しいあり方に関するアイデアを精査するアプリのテストバージョンへのアクセス権を与えられ、アイデアをフィードバックするフェイスブックグループに参加するよう求められた。もちろん、すべては非公開という誓約を交わしたうえである。

ベータテスターになるために、なおかつ、アプリをいかに改善するかについてリアルタイムで示唆を与え、同時にプラットフォームを成長させるために、トップクリエイターへ支払う額は安くはない。もしエイミーではクリエイターに1人あたり月に600ドルが支払われていたとすると、バイトダンスは初期のクリエイティブチームに少なくとも年間14万4000ドルを費やしていた。大人気のインスタグラマーには100万ドルをちらつかせようとも、ティックトックは広告費をブランド構築に必要な経費としてそれを取り戻すことができる。2020年6月現在、インフィード広告、つまり画面をエンドレスにスクロールしながら見られる動画は最長15秒に対して最少でも2万5000ドルかかる。1秒あたり1667ドルとはクールだ。もしあなたがもっと絶好の位置が欲しいなら、ユーザーがアプリを開けると動画が上映されるようにするなら、21万~24万ドルほどの経費がかかる。ハッシュタグチャレンジとは、ユーザーが真似をするような奇妙な行動や特徴的なハッシュタグをつけて投稿することだが、これは17万5000ドルからスタートする。

そしてプラットフォームに参加しているクリエイターもまた稼ぐことができる。一つのサービスであるアーティストインフルエンスは、レコード発売元と動画で音楽を使用するティックトックインフルエンサーとの間で、ブローカーとして行動することが許される。「インフルエンサーがそれぞれ個性的なコンテンツを投稿することで、ネットワークは作動するが、そのあいだ、あなたの音楽はもっぱら彼らのコンテンツで用いられている」と会社は主張する。「音楽はコンテンツを通して、インフルエンサーを熱心な視聴者へと導き、その結果クリック率が高くなる。あなたの音楽がティックトックで100万人の人に届くのにかかる費用は350ドルだ。500万人だと1600ドル。2000万人に届けるには4800ドル。サービスを提供している会社は、ワーナーレコード、ソニーミュージック、ユニバーサルミュージックグループ、ライブネイションのようなところと仕事をしてきたと言っている。

第4章

バイトダンスの裏側

20

スピーディ、オープン、ハードワーク

バイトダンスはその創業者に似て、オープンで、自立し、やる気に満ちた企業である。その野心は、会社の立地条件、つまり北京市内にあるということからも明らかだ。中国の首都における会社の評価を知りたければ、そのオフィスがどこにあるかを探そう。200万人の住民が住み、不規則に広がっている都市は通勤者に優しくはない。そこでのラッシュアワーが午前5時に始まるのは、多くの通勤者が街を26キロメートル横断するからだ。交通機関のなかで怒鳴られ、通勤電車にぎゅうぎゅう詰めになりながら、職場に着き家に帰るのに往復2時間はかかる。なかには1日に6時間も電車に乗っている人もいる。

市の中心部に近ければ近いほど、通勤網は充実していてありがたい。そしてバイトダンスの北

京本社は中国首都の中心部にかなり近い。北京市の中心から放射状に延びていく第三と第四環状道路の間にある。もちろん、市の中心部への通勤時間を短縮することはお金が解決してくれる。それが、なぜバイトダンスの給料が中国のほかのコンピューター関連会社よりはるかに高いのかの理由であり、移動を容易にしてくれる。つまり、今より市の中心部に近いところに住める余裕が出てくるわけだ。

バイトダンスは、中国のコンピューター部門で最高額の給与を払っていることで知られている。ほとんどのコンピューター関連会社は前の職場でもらっていた給与より少しだけ高い額を提示するが、バイトダンスは現在の市場ダイナミクスを見て、それに応じた額を払おうとする。その結果、給与は大幅に膨らむという結果になる（高い成果を上げるとボーナスをもらえて、8倍の年収を稼ぐチャンスもある）。ちょうど西側諸国でのように、競合的な額を提示して、バイトダンスはテンセントやバイドゥといった既存のＩＴ巨人たちから多くの従業員を勧誘してきた。多くの従業員にアプローチし、給与を上げ、リーダーとして部署を監督するチャンスを提供した。２０１７年には、ストックオプションが提供されたりした。それはあっという間に会社が成功することに賭けようと思う人たちにとって魅惑的な儲け話であった（今日、ストックオプションの提供は上級社員に戻されている）。グーグルやフェイスブック、その他シリコンバレーの企業のように、バイトダンスの従業員には1日に3回きちんとした食事が出され、いつでも欲しいときにおやつを食べてもいいことになっている。食べ物はおいしいらしい。

その寛大さは全従業員に浸み込んでいる「バイトスタイル主義」とも言える、会社のDNAだ。従業員も管理者も、誰もが関与するよう促され、自分自身に挑むような意見を探し出すよう求められる。自らの視野を広げることによって、最善の解決法を見出すことが要求される。「オーナーシップをとり、リスクを推定し、カビを取り払い」、問題にはその全体像をイメージして取り組もう、というのだ。また正直な意見を共有し、上司へのおもねりは避けるように求められる。

中国のビジネスはひどく堅苦しく、従業員同士も相手が大学で何かを学んでいると、お互いに「先生」のような称号をつけて呼び合っているが、イーミンは下の名前で呼んでほしいというだろう。姓ではないのだ。彼は「イーミン」が好きなのだ。階級と組織に支配されているビジネスの世界にあっても、イーミンはバイトダンスを誰もがほぼ対等という企業風土をつくり上げたのである。

ある社員は2019年4月に北京の社屋で働き始めたが、仕事のスピードとヒエラルキーのなさ（フラットである）にびっくりしていた。バイトダンスでは独自に開発した対面アプリとなって

郵 便 は が き

料金受取人払郵便

神田局
承認
7879

差出有効期間
2024年6月
29日まで

上記期日までは、
切手をはらずに
ご投函ください。

101-8725

508

東京都千代田区神田神保町2-30昭和ビル
小学館集英社プロダクション
メディア事業局 出版企画事業部
愛読者係行

ご住所	〒　　電話番号　－　－			
フリガナ			年齢	歳
お名前	男 女			
メールアドレス (携帯メール可)				
お買上げ店	都道府県　市町村区　店 ※ネット書店の場合はサイト名をご記入ください。			
よく利用するSNS	・Twitter ・Facebook ・Instagram ・TikTok ・利用していない	ご職業	a. 会社員 b. 自由業 c. 自営業 d. 公務員 e. 学生 f. アルバイト g. その他( )	

※このハガキは、アンケートの収集、関連書籍のご案内、商品の発送に対応するためのご本人確認・配送先確認を目的としたものです。ご記入いただいた個人情報は、商品を発送する際やデータベース化する際に、個人情報に関する機密保持契約を締結した業務委託会社に委託する場合がございますが、上記目的以外での使用はいたしません。また、小社刊行物やサービスに関するご案内を郵送またはメールにて差し上げる場合がございます。案内を希望されない場合は、右の□にチェックを入れてください。

案内を希望しません→ □

ご購入いただき、ありがとうございます。今後の企画の参考にさせていただきますので、下記のアンケートにお答えください。

■ ご購入いただいた本のタイトル

〔　　　　　　　　　　　　　　　　　　　　〕

■ 本の評価

・装丁は… 1. 大変良い　2. 良い　3. 普通　4. 悪い　5. 大変悪い
・内容は… 1. 大変満足　2. 満足　3. 普通　4. 不満　5. 大変不満
・価格は… 1. 安い　2. 適正　3. 高い　4. 購入時に価格は気にしない

■ 本書を何でお知りになりましたか?

1.TV ／ラジオ／新聞／雑誌／ WEB 等の広告・紹介記事で
〔媒体名：　　　　　　　　　　　　　　　　〕
2. 書店で実物／販促物を見て　3. 知人に薦められて　4. 小社ホームページ
5.Twitter ／ Facebook 等の SNS　6. イベント　7. その他

■ 本書の何に惹かれてお買い求めになりましたか?（複数回答可）

1. テーマ／内容　2. 著者　3. 周囲の評判／評価　4. 装丁／デザイン
5. その他〔　　　　　　　　　　　　　　　　〕

■ 好きな本のジャンルを教えてください。

1. 文芸　2. ノンフィクション　3. 実用書　4. ビジネス
5. 絵本・児童書　6. アート　7. コミック　8. 特にない

■ 本書についてのご意見・ご感想、または応援メッセージをお聞かせください。

〔　　　　　　　　　　　　　　　　　　　　〕

※上記のご意見・ご感想・応援メッセージを、匿名（都道府県・性別・年齢のみ記載）にて広告媒体や小社ホームページ・SNS 等でご紹介させていただく場合がございます。掲載不可の場合のみ、右の□にチェックを入れてください。

掲載不可→ □

ご協力ありがとうございました。

いる社内コミュニケーションシステムＬａｒｋを用いて、社内で誰かを探し、直接コミュニケーションをとることが可能である。お望みなら、イーミン彼自身にメッセージを送ることもできる。「この会社で働いているのは、実にオープンな雰囲気だからです」とその従業員は言った。「私たちにはリーダーがいますが、リーダーはたいていみんなの意見を聞きたがっていると思います」（あとの章でわかるように、この考えを必ずしも全員がもっているわけではない）

このオープンさは社外への対処法においても同じである。バイトダンスはこれまで政治家からの批判に打ちのめされてきたが、世界で最もパワフルな男のターゲットとなってきたが、それでもよい状態で生き延びている。そこ（ティックトック）は積極的にマスコミの機嫌を取るが、ユーチューブはしばしばよそよそしい。２０１９年、クリスマスの2日前、私はティックトックのイギリスにおけるマーケティング部門の部長と4時間の約束でなんとか話を聞けるようになった。他方、長年にわたって何度も依頼、約束をし、途中で何回も断られ、ユーチューブの幹部ともようやくインタビューできるようになった。

中国社会の制約にもかかわらず、バイトダンスは独立精神が旺盛である。バイトダンスがティックトックを始める前のショート動画アプリの評価にも見られるように、何かをするのに既存の方法に沿うばかりではなく、徹底的に調べ挑戦する。イーミンは、多くの中国コンピューター関連企業の幹部には必須である、共産党員ではないことを公言している。ファーウェイの創業者であるレン・ジェンフェイは１９７０年代と80年代に人民解放軍工兵隊で9年を過ごしているのだ。

厳しい倫理に追い立てられているバイトダンスは、多くの点でほかの中国の会社と違っているかもしれないが、午前9時から午後9時まで、週に6日働くという、９－９－６という国民気風には完全に合っている。当番表に載せられた従業員は、中国にいるなら隔週の土曜日に働くことが期待されている。「実にハードワークです」と一人の従業員が説明する。「昨年、私は週末を除いて1日に12時間働いたものです。人によりますが、ここで半年から1年働くならともかく、２～３年となると実に厳しいです」（仕事が午後10時を過ぎて終わった場合、従業員が帰宅するためにバイトダンスが提供するタクシー補助金は、この厳しい労働環境に対する懐柔策の一つである）。だから、バイトダンスでは従業員の退職率が高くても何の不思議もない。途方もない人数を常に雇用し、新着の清潔感あふれる新人として入社させている。ウェブサイトには、一時にほぼ１２００種の仕事がリストアップされている。そこには、履歴書上は最先端のハイテク企業を経験したというキャリアをもっているのに、転職を考えながら、アルバイトとして働けるところを探す元バイトダンス社員の一定数が存在する。

ある程度、イーミンは西側諸国の最も生産的な方法を採用するとともに、生産的な中国式のやり方もまた採用した。あの9-9-6と並んで、バイトダンスはまたOKRと呼ばれる目標管理手法を導入している。グーグルによって普及し、操業2年目のバイトダンスに導入されたのは、2か月置きに目標を設定し、達成することが期待され、達成した時点でまったく新しい目標を設定するというもの。ハムスターの車輪は回転し続けなければならず、従業員は足を踏みはずしてはならない。イギリスオフィスでのビッグプロジェクトに向こう見ずにも飛び込んだ従業員は、非現実的な目標を与えられたにもかかわらず、何も説明を受けていないと感じ、職場を去った。

イーミンのグーグルに対する強迫観念から、北京オフィスでは別の業務体制を採用した。壁に貼られたポスターは、フェイスブックに関する書籍から引き抜いたモチベーションに関するフレーズを示している。たとえば、ナイキの創始者フィル・ナイトの自叙伝『SHOE DOG』、それからグーグルの前経営者エリック・シュミットによる『一兆ドルコーチ』だ。イーミンはやはりグーグルに倣って、スタッフと2か月おきのタウンホールミーティング（経営陣と従業員との対話の場）を招集した。また熱心にユーザーの背景を理解しようとした。それとともに、ティックトックユーザーは何を求めているかを確かめるために、AIアルゴリズムを学習するばかりか、アプリを実際に使いこなした。従業員はプラットフォームやポストビデオにアカウントを作ることを積極的に推奨されている。過去には、一定数の「いいね」に到達するために彼が目標を設定し、目標に到達しなかったら、その人たちを急き立てたこともあった（スタッフ間の面談において、

For You ページで出会う動画の内容について述べるように求められる)。

バイトダンスはその気質を「コントロールよりコンテキスト」と要約する。それによって、イーミンは一つの決定ごとに細かく管理するのではなく、むしろユーザーから拾い集めたデータに基づいて従業員たちが決定できると感じてほしいのだ。従業員をランク付けてファイルし、生産性が向上し、ひどい問題も起きなければ、製品開発に打ち込むことができる。そこから革新を最大化するようにデザインがなされ、十分な数のアイデアが生み出される。それらのうちのいくつかはうまくいき、バイトダンスの主要商品となる。一部の従業員はこれが会社の自発性(のびやかさ)を創りあげるという。しかし、ほかの人々はそれはカオスと方針のない行動をつくり出すという。ロンドンオフィスのある従業員は所属するチームがイギリスと中国に分かれているため、中国人スタッフと働くことに言葉の壁を感じていて、彼のチームは北京の本社とはこれ以上接触しないことにした。また別のアメリカのスタッフは、バイトダンスの国際メッセージシステムであるLarkを通して午前中に2〜3回、中国の同僚からメッセージを受け取るのが通常だ。「ワークライフバランスの概念がまったくないですね」と彼らは言う。自分が入社したとき、中国における労働環境の管理レベルは高くないと感じていた。「全体として、ティックトックはいまだきわめて中国仕様であると言いたい」。2021年の夏のボーナスが彼らの預金口座に入ると、彼らはこの会社を辞める計画を立て、「ここだけしか会社がないわけではない」と言い放つ。

従業員が無記名で雇用者を評価するウェブサイトである「Ｇｌａｓｓｄｏｏｒ」をスクロールすると、ティックトックに対する満足度は一般に高いことに気がつくだろう。従業員10人中４人がその会社に入ることを友人にすすめるとしている。しかし深く掘り下げると、ひびが見えてくる。一見すると、雇用に至るプロセスが好意的ではないようだ。会社の面接過程を見ると、競合会社で働いている人からその会社の情報を引き出そうとするやり方や、雇用見込み者に対するぞんざいな扱いについての苦情がたくさん出てくる。この会社に何とかたどり着いた人々は種々雑多な経験をしたと言っている。ある人は中国の監獄に閉じ込められたことについて話し、別の人は、中国語のときは、アメリカスタイルの会社であるふりをするのはやめようと会社にすすめる、とか。

それは、世界規模で成長しようとする中国の会社の姿である。

21

急激な成長にともなう痛み

バイトダンスは北京におけるコーディングセンターのエンジンを外国のハンドルにつけることによって、海外展開を成し遂げている。そのエンジンはきわめて強力なのに、時々ハンドルが違った方向に向いてしまうことがあって、スタッフのフラストレーションを高めている。

バイトダンスは今や世界中で126の都市にオフィスをもち、総勢10万人の従業員が働いている。初期の頃は、ある国に基盤を築こうとすると、意思決定者の多くは中国人で、会社の主要執行部から選ばれていた。だが、ゆっくりと、会社がその国で足がかりをつくろうとするなら、その国の権力を有する人々を雇用し始める。それが、その地域で永続する存在になることを保証する方法であるという一面もあるが、おそらく、中国の侵略という過度に熱心な政治家の恐れに対する有用な防衛策としての一面もあったろう。

バイトダンスが運営する会社は地方や国の中心部にあって、構造的によく似ている。そのウェブサイトの最上部を見ると、単純化された会社の構造も、権力の位置も一目でわかる。すべてのヘッダーにはこうある。「ByteDance Ltd, a Cayman Islands company」（もしもバイトダンスの社員10万人がすべてケイマン諸島で働いていたなら、そこには今よりはるかに多くのインフラ設備を設けないといけないだろう。あるニューヨークタイムズの記者が、いったい何人がその264平方キロメートルの税金避難地で働いているのですか、と尋ねたところ、バイトダンスのスポークスマンは何も言うことができなかった）。

その下にあるのは「ByteDance(HK)Limited」。それは香港にベースがあって、通常、中国で運営しているすべての組織を監督している。それから「TikTok Ltd」がくるが、それもまたケイマン諸島にベースが置かれ、会社の主力商品であるアプリを運営する海外の別会社が管理している。アメリカには2社あって、一つが有限会社でティックトックを運営し、他方はバイトダンス社でここは別のアプリをマネジメントしている。そしてそのほかに3社。TikTok KKは日本におけるアプリを管理し、TikTok Pte Ltdはシンガポールにあって、アジア南東部を監督している。そしてTikTok Information Technologies UK Ltdはロンドンで登記され、ティックトック社のヨーロッパ基盤として機能している。

北京のスタッフは常に、自分たちは国際的な事業に従事していることを思い起こす。中国本社で働く従業員は、海外のティックトックユーザーによって作られた動画をもとに、グループチャットをしている。アメリカ、イギリス、ブラジルそしてベトナムから来た動画が一連の流れとなってスクリーンを満たすので、彼らはただ自国のユーザーのためのアプリを開発しているだけではないことを思い出させられる。イーミンはレポーターに「こうすれば、世界はとてつもなく大きい場所であることを認識させられて、あなたの地平線も広がるでしょう」と言った。国際的な関心と野心をもつ彼にふさわしく、イーミンは北京における本社でダラダラとしているようなことはない。2019年は3日のうち2日は旅の途上にあって、世界中を旅してまわっていた。訪問した先々で、どこであれ、美術館巡りの大ファンで、展覧会に顔を出し、ロンドンのウエストエンドでミュージカルを楽しむ。インドを訪れたときはデリーのディッリー・ハート市場で時間をつぶし、インド各地から集まった手作りの品々を売っている露店を詳しく調べ、人々がそこで欲しているのは何かを理解しようとした。ティックトックのヨーロッパにおける拡大を受けて、彼はパリの友達のアパートで簡易ベッドに泊めてもらい、通りをさまよい、その文化に触れ、理解しようとした。2020年3月における会社の第8回記念日を祝っているスタッフへの手紙で、次の3年間でバイトダンスのある地域はすべて訪問して会社を理解し、そこの地方文化を学びたいものだと書いていた。新型コロナウイルスが世界をシャットダウンする前に、イーミンは2020年にもさらに旅行をする計画を立てていたとジャーナリストらに言う。重い荷物を引きずって空港ターミナルを抜け、未知の領域に入っていくことは「より深く背景を理解する」方法であると。

海外のスタッフには会社のオープンさと野心を取り入れるよう推奨されるが、各支社が自立することは、多くの業務が北京の本社に残っている場合では難しかった。

アメリカに基盤を置き、広範なインフルエンサー・マーケティングの経験がある一人の元バイトダンスの従業員は、全社的システムに苦労していた。そのシステムというのは、彼らの経験を活用する自主性が与えられているように見えながら、現実には、アメリカに基盤を置くチームと並行して運営されている中国チームに報告しなければならなかったことだった。

「どうにもならないことを続けて時間を無駄にしていた」と彼らは言う。彼らのチームはアメリカのトウティアオともいえる「トップバズ」にインフルエンサーを連れてきたのだが、そこはアメリカ人マネジャーに率いられていた。このマネジャーはまた中国の同じようなチームも技術的に監督していた。バイトダンスはエンジニアチームの多くを北京本部に擁しており、コーダーは各部間で共有されていた。いわゆるミドルオフィスが異なるアプリ開発を同時に進行させている。「リソースを使って仕事をもっと効果的に進めたくなるでしょう」と現役のバイトダンス従業員が言う（それは、海外のティックトックが、中国国内のドウインと同じように見える理由でもある）。それでも中国チームは、おそらく北京の幹部に近いため、しばしばアメリカに基盤を置く上司の頭越しに直接説明できたのであろう。とうとうトップバズの上司は諦めて、北京にいる彼の下役に決定させるようにした。

また、市場に違いがあることを認識しないまま、中国におけるトウティアオの成功をアメリカにおけるトップバズにそのまま当てはめようという試みからくる軋轢があった。ある時、元従業員の上司が北京のオフィスを訪れたところ、壁一面に飾られた、トウティアオで有名になったインフルエンサーの額縁入り写真を誇らしげに見せられた。その多くは養豚農夫で、会社の固定観念となっていた。アメリカの従業員はちょうど、アメリカ市場にも同じような人材を見つけるよう期待されていた。「インフルエンサーの情報を共有する方法がなかった」と彼らは言う。とはいえチームが試さなかったわけではない。アメリカのトップバズチームは、インフルエンサーを獲得するために、年間予算350万ドルをつけられた。ニュースベースのコンテンツを投稿するクリエイターには単純に月500ドルあるいは1000ドルが支払われ、彼らのコンテンツが得たビュー数に基づいてボーナスが出たので、数千ドル稼ぐこともできた。

仕事が終わり、ロサンゼルスのバイトダンスカフェテリアで、元従業員と彼の同僚らとで話が弾んだ。同僚の多くはティックトック・アメリカで働いていた仲間で、中国人の同僚にものごとがひっくり返され、理解されなかったエピソードをあれこれ分かち合っていた。

22

シュワルツェネッガーの筋トレ動画に学ぶ

スターダストの雨（祖父母が初孫のためになるよう、親になったわが子を手伝うような思いやり）は役に立つ。2019年3月16日の朝は、アメリカのティックトックにとっては重大な朝であった。筋肉とロボットのように行動するスキルで知られ、政治家に転身してフェイドアウトしていく銀幕のスターに感謝する朝であり、ティックトック・ロサンゼルス・オフィスのチームにはお祝いをする理由があった。

その朝、会社の従業員はアプリを開けるなり、アーノルド・シュワルツェネッガーがウェザー・ガールズの『ハレルヤ・ハリケーン』のサウンドに乗って、自宅ジムでウェイトトレーニング（プリーチャー・カール）をしている光景に向かい合うことになった。その動画では、年老いていくハリウッドのアクション俳優がウェイトを顔のあたりに持ち上げるにつれて顎を突き出し、おしまいにはカメラのほうを振り向いて眉を弓なりに吊り上げる。その動画は刺激的で、アプリの魅力を象徴していた。ティックトックがそれを作ったのだ。

シュワルツェネッガーは珍しいティックトッカーで、彼の72回目の誕生日から数か月が過ぎ、ユーザーの平均年齢よりはるかに年長だった。彼はかつて政治家であり、ハリウッドスターであるから、普通はソーシャルメディアのプラットフォームなどは避けたいはずである。仮にそのときティックトックの従業員が言うとしたら、そのアプリこそ、合衆国で得た最初の「自然発生的勝利 organic victory（自前のリソースを使って得た勝利）」であろう。いっそのこと、前カリフォルニア州知事が自分の意思で加入したのだと言ってくれればどんなによかったか！ オフィスであろうと、カメラの前であろうと、ユーザーになってくれる人々に派手にお金を使う会社にとって、重大な瞬間であった。

それはティックトックに弾みがつき、それまで自身でコントロールしていた成長パターンを打ち破れることを示した。シュワルツェネッガーのように、ティックトックの存在に気づいたばかりか、手間暇をかけてそのアプリをダウンロードしたいと思い、入会し、自分が作成した動画を投稿するような人にとって、それは一大事であった。チームは大喜びした。「シュワルツェネッガーは自分でやろうと決め、それを楽しんでいるんです」と一人の元従業員は言う。「それは私たちがすべてをお膳立てする必要がない初めてのケースでした。誰々がティックトックでこんなことをしているよと出かけていって宣伝する必要がなかったのです。つまりこんな感じです。ある日、目が覚めるとアーノルド・シュワルツェネッガーがティックトックに投稿していた。そしてあなたは〝アーノルド・シュワルツェネッガーがインターネットを攻略！　この新しいアプリに注目して！〟というようなストーリーをたくさん思いつくのです」

このことは、どんどん変わった方法を試したがる中国チームと負け戦を戦っていたアメリカベースのチームにとって、絶好の機会となった。そのアプリは、主流のセレブリティをリクルートするように作った最初のものであるうえに、経費がまったくかからずに済んだのだ。

シュワルツェネッガーが行ったことについて、アメリカ人従業員がティックトックのロイヤリティを考慮すべきだと主張したことに対して、ラッパーで、ビルボードチャート1位、前ストリッパーのカーディ・Bは反対した。

カーディ・Bをプラットフォームに参加するよう説得するには、時間も労力も大金も必要だったた。２０１８年1月、彼女がティックトックに投稿すれば、その収入は数千万円単位になると思われたが、結果はあまり芳しくなかった。

それは必ずしも彼女の責任ではなかった。彼女はアプリに投稿したことで船1艘分のお金を得たが、そのコンテンツの投稿にはほとんど制約はなかった。いつ投稿しなければならないとか、何を投稿すべきなのかについて何の基準もなかった。あるいはその動画が彼女のほかのソーシャルメディアプラットフォームとどのようにして連携させるべきかについても、同じく何もなかった。それは単にビッグスターを連れてきて世間をあっと驚かせたい北京のマーケティング部がすべてを動かしていたからだ。これ以上のことは北京のマーケティング部にとってはどうでもよかった、あるいは考えもしなかったようだった。カーディ・Bは2週間のコースで6本のばかげた動画を投稿したが、そのうち1本は、異なるソーシャルメディアプラットフォームからとってきた、他人の動画を再投稿したものだった。1か月後にもう2本、9か月後に最後の2本が投稿されたが、どうでもいいものだった。彼らは彼女と厳密な取り決めが必要だとも思わなければ、重要だと考えもしなかった。彼らはただ単に（あの有名な）彼女がそこにいたんだと言いたかっただけなのである。

しかしそれは、北京からの指示を実行するよう割り振られたアメリカ人スタッフにとっては問題である。中国ではうまくいったけれど、西欧ではうまくいくはずのない説明書を手にしているのだ。まるで四角い釘を丸い穴に合わせようとしていると感じていた。彼らの地元（アメリカ）に関する知識は見落とされていると従業員は感じていた。自分たちより地位が高く、北京の本社に近いと重要な意思決定者に耳を傾けてもらえるのではと感じていた。それは組織哲学の違いによって際立っていた。

西側諸国では、と一人の元従業員が話し出す。通常は自分の経験やスキルと、求める仕事ができるという証明書に基づいて採用を決めるけれども、中国における従業員のビジネス経験は上司がまるで異なるアプローチをとる。すなわち、役に立とうが立つまいが、人材を確保さえすればものごとは解決したとみなすわけだ。彼らは、バイトダンスがグローバルに拡大していったその混沌とした初期の状況とさほど変わってはいないと感じていた。会社には世界的なユーザーを獲得する25歳の責任者が北京にいて、数百万ドルの予算を動かしていたが、ユーザー獲得の経験はまったくなかった（また、中国で目覚ましい成長を示しているテレビ番組とドウインとの提携に成功してグローバルマーケティングの責任者になった一人の女性の苦労話で持ちきりだ。彼女は世界中のあらゆるところで同じことをするよう命じられていたが、収穫逓減《入力しても出力は増えない状態》）。数本の動画を作るのに最小限の努力しかせず、その後はプラットフォームから永遠にさよならする、何の興味もないラッパーにどうしたら数千万円も費やせるのか、見るのは簡単である。

とはいえ、そんなお金を払わせる経験、カーディ・Bのような（製造された）失敗例はシュワルツェネッガーのような（自然発生的な：オーガニック）成功を数で上回っていた。つまり、アメリカにおける寄せ集めの小さなオフィスは北京のバイトダンス本社に学ぶしかなく、指図され、それはアメリカにおけるティックトック成長期の数年が必ずしも幸せなものではなかったことを意味している。ほぼ同じころ、カーディ・Bが気乗りしなさげにアプリに戻ってきた。スポンサー付き競争で、２つの音楽フェスティバルのＶＩＰチケット、ディズニーランドへの旅行、スマートフォン、服そしてティックトックブランドの品々を獲得しなければならなかったからだ。それについて、バイトダンスは従業員の満足度調査を行った。その結果は人の頭に冷や水をかけるようなものだった。ほとんどすべてといっていいほどの従業員が、北京にいる上司の満足度レベルは低いと報告したのだった。

それ以降、ものごとは変わっていった。北京で暮らしている人がアメリカ人ユーザーの身近にいる人よりアメリカの文化の味を知ることは可能ではないという認識が、ティックトックのサテライトオフィスにおける従業員満足度を大きく改善したことを意味している。それでもいくつか問題は残っている。バイトダンスは西側諸国におけるティックトックと足並みをそろえて、まったく同じ成功が単純に繰り返されることはありえないと実感し始めたのだ。

23

検閲と東西の隔たり

中国と西側諸国で示されるものが同じであることは許されない、とバイトダンスは知っている。バイトダンスからティックトックで働いている検閲者に提供されている内部文書によると、プラットフォームで許されることと、許されないことについて概略が述べられている。2019年5月にその方針が変わるときまで、私的な設定であるか、あるいは私的な個人として行動している場合を除き、ティックトックは政治的人物の画像を含む動画は推奨しなかった。動画を推奨しないということは、それらの届く範囲が制限されるということだ。つまり、人々がティックトックで相互反応をする主な方法であるFor Youページで偶然出会う前に、ユーザーのコンテンツを事前に調べなければならないということになる。同じく、北アイルランド独立とか台湾とチベットの独立、天安門広場事件、あるいは2014年のウクライナ独立など数か国に関わる政治的に敏感な事件を描写するいかなるコンテンツも、「VTS」の状態（情報が表示されない）にされる。あるいは自分のみ視聴可とされる。ユーザーは実感していないけれど、それは自分自身の動画をティックトックで見ることはできるが、他の人は誰一人見られないということだ。2019年9月以降、中国国家の検閲はグローバルプラットフォームにまで及んでいるというごうごうたる非難に続いて、ティックトックの世界的な禁止から、中国の感性に基づいたルールを強化する検閲者用ガイダンスに変更した。それは鈍的アプローチだとティックトックはガーディアン紙に認め、国家が管理する国における運営から、ボーダーレスの国家間での運営にシフトするプラットフォームの成長痛のしるしであると言った。スポークスマンは「ティックトックは『2018年』世界的に公開し始めたとき、これは正しい方法ではないと認識し、各マーケットについて微妙な違いがあることを理解している地域のチームを強化するように動き始めた」と説明した。

それはある点までうまくいっている。ニュージャージー高校の17歳の生徒フェロザ・アジズは、中国のウイグル人イスラム教徒を強制収容所キャンプに拘束したことについて説明しようとしたところ、彼女のプロフィールが繰り返しブロックされたり、削除されたりしているのに気がついた。アジズは自分の動画がプラットフォームであまり表示されないことに気づいた。それは視聴者が歴史のレッスンに興味がないか、あるいはティックトックのアルゴリズムが人為的にそれを隠そうとしているからかもしれなかった（彼女はそうだという気がした）。そこで彼女は変装をして自分のメッセージを伝えることにした。パウダーブルーの髪バンドを手首に巻き、まつ毛をカールさせる器具を手にしてカメラの前に座り、カールのやり方を示したあと、アプリの節度ポリシーでは反則に入る地政学的問題について解説しはじめた。

アジズは賢かった。彼女は、コンテンツの検閲者が動画を分析する方法は、疑わしい動画のある一部分を見張ることだと確信した。ティックトック・ヨーロッパにおける検閲チームで働いている情報提供者によると、投稿された動画を監視している従業員は8時間シフトでほぼ1000本の動画をチェックすることが求められている。私がティックトックの管理安全部長のコーマック・キーナンに1日に1000本を正確にモニターできるかどうか聞いてみたところ、質問に直接は答えなかった。休憩時間とか注意力が落ちることを考慮に入れると、どの動画がティックトックの厳しい規則に違反しているかを見極めるのに、検閲者は30秒以下しか使えない。きわどいコンテンツだと考えるのに数分はかかるだろうから、その間、彼らは他の動画は素早く飛ばすだろう。動画全部をじっと見るようにとは推奨されていない。一本をじっくり見るメリットがあると思わない限り、各自のフレームは飛ばしてもよく、音は聞く必要がないとされている。

検閲者がアジズの動画のところにやってきても、彼らはたぶん少女が単につけまつ毛をカールさせているだけのものと考えるだろう。ありえないことだが、最初の数秒間、耳を傾けるのを面倒がったとしたら、彼らは何も違反を見出せない。「ハーイ、君たち！　君たち男性にどうすれば長いまつ毛を手に入れられるか教えるつもり」とアジズは自分のまつ毛の周りにカーラーを取り付けはじめる。「最初にやらないといけないのは、あなたのまつ毛をカーラーでつかんで、くるっとカールさせ、それからカーラーをはずすの」。ものの8秒後アジズが視聴者に「今、中国で何が起こっているのか、どうやって強制収容所をつくって、無実のイスラム教徒をそこに収容しているのか」調べるように勇気づけた。その動画はティックトックで爆発し、ツイッターで再投稿され、500万回視聴され、コンテンツ検閲者に何が起こったのかを実感させた。ティックトックはアジズのアカウントを一時停止にした。それは別のアカウントで彼女が以前オサマ・ビンラディンに関する動画を投稿したことがあるからだが、それは「テロリスト・イメージ」に関するコンテンツポリシーに違反するものだった。ティックトックはのちに彼女のメインアカウントを復帰させたが、彼女のコンテンツは削除した。アジズはこう言った。「以前に削除されたアカウントで、無関係な風刺動画（ビンラディンのもの）を投稿したからといって、削除するなんて信じられる？　ちょうど私がウイグル人に関する3部作を投稿し終わったところなのに？　信じないわよね」

ティックトックの中国中心という姿勢がアプリにとって唯一の頭痛の種ではない。世界制覇を目指す姿勢もまた問題となることがある。性的志向やジェンダーアイデンティティに関する動画はコンテンツ検閲ポリシーで、セグメントされていく。そこで、検閲者は各動画に「リスクタグ」を追加するよう指示される。その動画が、保守的な国々にとって疑問符の付くコンテンツを含んでいることを示すタグである。そういった国々では「リスクあり」とレッテルを貼られたコンテンツはFor Youページでは表示されないだろう。ティックトックは、それはユーザーの安全性のためだと言った。動画に対して過剰に批判的な見方をすると奇妙なことになる。世界で最も使用されているアプリのいくつかはなぜ女性を検閲するものなのかを研究していたカロリーナ・アレ博士は、彼女自身がティックトックで繰り返し禁止令を受ける犠牲となった。それを誘発したのは、彼女が服をすべて身に着けたままポールダンスしているという動画で、彼らは好みでないと判断したのだ。彼女の皮肉は通じなかった。

肥った人や普通ではない体の持ち主もまた差別される。どんなソーシャルメディアを開けても、あなたの前には、完璧なポーズをとった自撮り写真を得意満面に掲げる人々が現れる。その一部は気の利いた道具で、柔らかいルミネッセンスの後光を作り出し、頬骨やあごに完璧な照明を当て、現実のあり様をきれいにならす。撮影後、不完全なところを捻ったりつまんだりして、これぞ人間というものに変えてしまう。しかし、ティックトック検閲者に与えられたガイダンスはソーシャルメディアの自然な選択とは何かをあからさまにしている。もしもあなたが肥っていたら、成功しないだろうというものだ。

白黒の文字で書くと、ティックトックで、何が許され、何が許されないかに関するルールはあからさまである。もし不幸にもあなたが「不自然な体形、ぽっちゃり体形で明らかにビール腹、肥満、あるいは痩せすぎ（小人や末端巨大症に限らない）といった特徴をもっていれば、あなたの動画再生数は少ないだろう。あなたには、醜い容貌（前歯の欠損、しわの多すぎる高齢者、明らかな顔の傷跡に限らない）、あるいは顔の奇形（目の疾患、ねじれた口の疾患その他の障害に限らない）があるだろうか？そうだとあなたはツイてない。

テレビ番組に端正な人たちが出演しているのと同様に、私たちは魅力的な人たちに引きつけられる。「もしも、人物の容姿や撮影環境がよくないと、その動画は魅力的ではなく、新たなユーザーにすすめる価値がない」と決めつけられる。

もしもあなたが貧乏で、壁がぴかぴかでなければ、あなたもまたツイてない。撮影場所がみすぼらしく、壊れかかっていたら、あなたの動画は推奨されないかもしれない。というのは、ティックトックが「完璧なイメージのポートレートを撮ってほしい」と希望する新たなユーザーに適していないからだ。標準以下の撮影環境も含まれるため、「スラム街、無法地帯、ぼろぼろの家」で撮影されている動画に限らない。

2019年9月になるまで、ドイツにおける検閲者は醜い顔、自閉症、ダウン症候群、あるいはあざとか斜視のような顔に何らかの問題がある人たちの動画は制限するべきだと考えていた。その根拠はささいなもので、そのような容貌上の欠点によって、彼らがネット上のいじめに遭って傷つく可能性があるからというものだ。イギリスの慈善団体スコープは、それを「奇妙な決断」と呼んだ。

ティックトックにとっては、是正しなくてはいけない問題であった。2020年3月、アメリカにおける敵意ある批判に対する反撃の一つとして、ティックトックは「アプリのポリシーと実践に関して率直な意見とアドバイスを提供する独立した委員会をつくるつもりだ」と声明を出した。ティックトックはテクノロジー倫理学者であるデヴィッド・ライアン・ポルガーには2019年12月からコンタクトを取っていたが、コンテンツの検閲をどのようにして改善するかについて、経営者らと話し合うためにロンドンまで飛んできてほしいと依頼していた。彼は旅行費用を受けて、経費と飛行機代をまかなった。他の会社に対しても、彼はおよそそのようにしてきた。

ポルガーは「率直に言って」と言う。「何年にもわたって、会社は必ずしもうまく処理する必要のない多くの圧力をかけられて圧迫されてきたという意味で、どの業界よりも先んじていると私は言ってきました」

インターネット会社は奇妙な立場にあると彼は言った。「会社を所有していても、それは今や政府の監視下でしか活動できません。思うに、彼らは風がどちらに向いて吹いているのかを確認しながら、発展させたいと思っているのでしょう」。つまり委員会仲間の役割は、彼らが直面しているのと同じような問題にティックトックに挑ませ、プラットフォームとして直面するかもしれない戦いを学ばせ、可能な解決法を思いつかせることである。会議はすでにあなたが若いクリエイターであるか、あるいは高齢の消費者であるかによる知覚の差にまつわる問題については検討してきた。考慮されるとしたら、15歳の少女が踊るいたずらっぽい、楽しげで無垢なダンスも高齢の視聴者にはよりセクシーだと思われるかもしれないことだ。同じ動画なのにまったく違うものに見えるとしたら、あなたならどう扱うだろう？　あなたはそれを見ようとする人に害が及ぶのを避けるために、表示を制限するだろうか？　あるいはそれを無邪気に作成した人に対して不公平だと思うだろうか？　「その動画がどのように受け止められるかを考えるべきだと思いますし、その拡散をどのようにして変えるかを考えるべきです」とポルガーは言うが、これが進行中の案件であることを認めている。

コンテンツの検閲がティックトックにとって難しいのは、多くは複雑だからである。ティックトックは中国文化にどっぷりと浸りながら、多くの異なる意見を取り上げて拡大していこうとしている。アメリカの消費者は中国では何が中国人に受け入れられるかについて広く異なる見解をもっている。そしてインドのユーザーはある領域では他のユーザーよりはるかに敏感になるかもしれない。北朝鮮を除いては、最も弾圧的で、偏狭、粗探しをする国に、事業の主要な部分が今も集中している会社にとっては難題である。

つい最近まで、検閲者は北京のオフィスで狭いスペースにぎゅうぎゅうに詰め込まれながら、机をシェアして作業を行っていた。彼らはしばしば検閲している国のネイティブスピーカーであり、中国に移住して、中国の文化の中で働いている。ところが、2020年の夏、会社の指示で、最後の検閲者は中国の首都を去った。2021年6月、コーマック・キーナンは「1万人のグローバル検閲者はすべて中国以外にいる」と私に言った。彼は「われわれには今やグローバルな戦術があって、世界中の検閲業務のための場所を建設中です」と言う。

検閲をめぐるトラブルは文化の衝突が引き起こす問題であり、そこでは「グーグルのようにボーダーレスになる」というイーミンの牧歌的な夢は現実にぶつかってしまう。ある元従業員はバイトダンスの問題はそのスピーディーな成功のせいであると考えている。「中国の会社をこっちから運営しようとは思いませんね。そこに住んだこともなければ、それについて学習したこともなければ（無理です）」「彼らは現に多くのスタッフを隠しました。特にアメリカにですけどね。とはいえ製品はとてもよかった！」

第5章

ティックトックの創造性

24

音楽の意味を変える

ティックトックはさまざまな文化に徐々に広まっていったが、おそらくその最大の影響は音楽に対してであろう。ビニール製のレコードがテープに道を譲り、テープはCDに譲る。そしてすべてがデジタルミュージックのダウンロードやストリーミングに支配されるようになり、音楽業界は稼ぐのに四苦八苦している。今ではもう、外へ出かけていってアルバムやシングルを買うという習慣もなく、音楽番組はテレビから姿を消してしまった。MTV（米国の音楽専門のテレビ会社）はミュージックビデオの放送から、エンドレスで流すぞっとするようなリアリティショーへと転換した。

これまでアーティストは生計を立てるため、一つのアリーナから別のアリーナへと移動しながら全国ツアーをしなければならなかった。ティックトックが現れるまでは、彼らが新曲を発表できる適切なショート動画フォーマットはなかったので、コアな視聴者を信じて、新たなリスナーになってもらおうと奮闘していた。

ティックトックは、楽曲を短いセクションだけ聴くリスナーをＳｐｏｔｉｆｙやユーチューブのような音楽ストリーミングプラットフォームに送り込むことで、衰退している音楽産業を再生させた。そこだと、誰かが音楽を聴くとアーティストには少額ながら印税が入るという報酬があるばかりか、もっと大切なことは、ミュージックチャートの位置に換算されることだ。ある音楽会社の重役が、ティックトックは「新しいラジオ」だと言った。ティックトック・イギリスゼネラルマネジャーは、誰がポップミュージックのトップに来るのかを予測するのに、オフィシャルミュージックチャートはティックトックの見解を考慮すべきだと考えている。ティックトックの音楽事業責任者であるポール・ホーリカンは「ティックトックはオフラインでの歌の消費に影響を及ぼしている」と言う。「ティックトックの成功はあなたの音楽消費を追い立てる類いまれな現象である」と。

長きにわたって音楽業界に身を置いてきた者として、ホーリカンはコメントをするには格好の位置にいた。彼は音楽学芸員の責任者としてユーチューブに転職する前、２０００年代前半の10

年をMTVで働き、ニューヨークでユーチューブのインターナショナル・アーティスト・マーケティング部門の責任者を務め退職した。異国で長く暮らした人の例に漏れず、彼および彼の家族は残りの人生をどこで過ごしたいかを決めなくてはならなくなり、2019年、新しい職探しのためイギリスに戻った。

2019年10月8日、彼はティックトックの面接を受けた。しかし、彼はそれ以前に業界誌『ミュージック・ウィーク』によってO2ロンドンで開催されたイベントを運営していたことがあった。その第2回アニュアルテクサミットでは業界の実力者とともに、テクノロジーがいかに音楽を変えることができるか、そして音楽はテクノロジーと連携することができるかを検討するためのミーティングを開催していた。

ホーリカンは音楽産業にミュージカリーとティックトックが及ぼしたインパクトを見てきた。そのイベントでの会議で、彼はその会社から逃れることができなくなった。「Music Week tech会議における会話は、ことごとくティックトックに関するものになった」と彼は思い起こす。心は決まっていた。「私は入社します」と言った。「これは私がしたかったことだ。これこそ私が参加を決めた理由だ」

理由は簡単。2019年11月以降はホーリカンはイギリスにおけるティックトックの音楽事業を率いているわけだが、そのアプリの成功をその時から感じていたのだった。会議前後でのおしゃべりもその予測を固めるのに役立った。ティックトックは「人がお互いにコミュニケーションをとる方法を一新したのです」と彼は言う。「それはものごとを結びつける完璧にクリエイティブな媒体です」。データがそれを裏付けた。会社の内部調査データによれば、5人中4人のティックトックユーザーは、新しい音楽を見つけるためにこのアプリにアクセスすると言っている。

ホーリカンによれば、ティックトックユーザーは魅力的な方法で歌の断片を聞かされ、魅力的な動画とも相まって、もっと聞きたいと思わせられる。それで彼らはもっと長い楽曲を探したいという思いに駆り立てられ、そのアーティストについてさらに多くを知るようになる。こうした理由から、ティックトックは自身を、音楽業界に対する競合相手というよりはむしろ純益だと見ている。「共食い的というより、はるかに加算的というべきです」と彼は言う。

25

「ドージャ・キャット」についての物語

ニッキー・ミナージュはその時が来るまで16年間、音楽を作り続けていた。このトリニダード・トバゴ生まれ、ニューヨーク育ちの歌手は２００４年プロとしてパフォーマンスをして以来、耳にこびりついて離れないたくさんの歌を作ってきたが、アメリカのポップミュージックチャートであるビルボード・ホット１００でナンバーワンのヒットを飛ばすことはなかった。アマラ・ラトナ・ザンディル・ドラミニは女性ラッパーで、プロ歌手としては「ドージャ・キャット」と呼ばれるが、それは彼女の猫愛と好みのマリファナにちなんだ名前である。彼女はヒットを出すまでに7年かかった。２０２０年5月11日、その訪れのとき、拍手喝采は途方もなかった。この2人がコラボで歌う『Say So』はチャートを頂点まで駆け上がった。その理由は簡単だ。ティックトックにあった。

ドージャ・キャットのレーベルからティックトックで投稿された「ドージャ・キャットのSay So」は1300万本の動画で使用されてきたが、それは、ティックトックのビッグスターであるチャーリー・ダミリオにクリスマスの1週間前から少なくとも5回使用されていたことに起因している。ダミリオはその歌に振り付けられたダンスを踊っている自分の動画を繰り返し投稿したが、それには2000万のいいねがつけられていた。その動画によって、この歌は人々の意識に浸透していった。しかし、その成功は22歳のジェイコブ・ペースが立案し、コントロールし、成し遂げたミッションによるものであった。ペースは14歳で音楽業界に関わり、ユーチューブを立ち上げると、彼自身の音楽をプロモーションするためのアウトレット（店舗）が与えられた。たちまちのうちに彼はレコードレーベルを立ち上げ、レーベルとPR会社のためにソーシャルメディアを始めた。彼がテキサス州エルパソからロサンゼルスへ出てきたときは16歳で、あるレコードレーベルに雇われ、そこでアーティストの新人発掘やプロデュース、マーケティングの仕事を動かしていた。18歳のとき、フライトハウスと呼ばれていたミュージカリーのアカウントに偶然出会った。ペースはそれがミュージカリーでとりわけ人気のアカウントの一つであることに気づいた。それは音楽を編集しており、他の動画とはまるで違う存在だとわかった。ミュージカリーのほかのページの多くは個々のインフルエンサーに属しており、他の雑音を払いのけようと奮闘していた。しかしフライトハウスはブランドだった。会社はそれを獲得するためにペースに運営を任せた。「ティックトックがものになってきたとき、われわれのためにも役に立ちました」と彼は自分の若さ以上に大人びて聞こえるように言う。彼はフライトハウスのアカウントをティックトックで15番目までに成長させ、フライトハウスブランドでマーケティングエージェンシーを立ち上げた。このエージェンシーが援助してティックトックに基礎を置いたアーティストの一人がドージャ・キャットであった。

「視聴者が音楽を見つけ、その一部となるには最高の方法でした」とペースは言う。会社はドージャ・キャットも含めて、ひと月に20から30の楽曲の斡旋を行っていた。

ある音楽レーベルがペースとフライトハウスにレコードを送ってくる。まず曲を聴いて、ユーザーが動画にできるようなクリップとして、ティックトックでうまく拡散していく要素があるかどうかを吟味する。それから動画と関連させるのだが、おそらくダンスとかリアクション、スキャットなどトレンドのものを考えて出してから、それをレーベルに送り返す。いったんレーベルが承認すると、そのトレンドをインフルエンサーのネットワークに送り、アプリに投稿させる。最初は10あるいは20本以内から始める。「私たちは彼らに音楽を提供して何が刺さるかを見ます。何も刺さらないようなら、ほかにないか繰り返します」とペースは言う。「私たちの目的はそこに中毒になるようなときがあるかどうかを見極めることです」。重要なのは動画の数だ。

この手法は、ＡＢテストをするようなものだが、そこで何かが栄え、何かが死ぬのを見て、それによってプランを変更する。ティックトックでインフルエンサーが種をまいた10本の動画が、一般ユーザーがオーガニックに（手元にあるリソースを使って）作った１００本の動画となって戻ってくる場合は、成功ではない。それはフライトハウスが製図台に戻る必要があるというサインなのである。しかし、同じ10人のインフルエンサー主導で、フライトハウスデザインの動画から、一般ユーザーによる5万本が誕生したとすれば、それは成功だ。「私たちにとっては、もっとお金をかけようというサインなのです」とペースは言う。フライトハウスのキャンペーンに関わる人物は、ミュージックレーベルは基本的なキャンペーンに最低5万ドルは払うべきであると言っている。

世界ではほかでも同じような話がある。自分のところのアーティストをヒットチャートの上位にまで押し上げるティックトックのパワーを認識した音楽レーベルは、その目標達成を助けられる会社と取引し始めている。ジュリア・マイケルズとのデュエットで歌うＪＰサックスの歌「If the World Was Ending」は、ある女性に対する男の愛を語った繊細なピアノソングだ。２０１

9年10月にリリースされるや、その歌はティックトックに後押しされ、ハッシュタグ（#IfTheWorldWasEnding）が作られ、ロンドンにベースを置くコンテンツマーケティングエージェンシーのファンバイトと契約している6000人のインフルエンサーのうち一部はその歌を使うよう求められた。計画したその投稿は大成功だった。そのハッシュタグを使った動画は2800万回見られ、7万本以上の動画がインフルエンサーによってばかりか一般ユーザーによっても作られたのだった。ファンバイトのキャンペーンは5000ポンドから出発し、より重要なパッケージに対しては約3万ポンドまで跳ね上がった。歌はUKシングルチャートで、1週間のうちに25番飛び越えて16位になった。すべてはティックトックのおかげである。

しかしもし、人生を変えてくれた感謝をティックトックに捧げるような例を知りたいなら、22歳のモンテロ・ラマー・ヒル以上の人物は見出せない。彼はジョージア州で育ち、2017年に卒業するまでリチア・スプリングス高校に通っていて、世界中で「リル・ナズ・X」としてのほうがよく知られている。高校に入学したばかりのころはヴァインなどあらゆる種類のソーシャルメディアプラットフォームに積極的に参加していた。高校を卒業後は、大学に進学し、コンピューターサイエンスを学ぼうと決めていた。それは、インターネットの暗い隅のどこかで、オタクだった子供がコンピューターで費やしていた時間の延長にあって、インターネット上の教養があるブラウザのみが認識するような妙なミームを開発するところと彼は考えていた。彼は大学でうまくやっていたのだが、自分のコースを1年学んだあと中退した。「もうこれ以上学校を続けたくなかった」と彼は「Teen Vogue誌に語った。退学の数か月前に、「Naserati」と呼ぶ最初のアルバムをリリースした。大ブレイクを狙うアーティストたちが投稿した歌が氾濫するサウンドクラウドという音楽プラットフォームに出した。

そのアルバムはあまり注目を浴びることはなく、彼の両親は心配になった。彼らには6人の子供がいて、ある息子はずっと刑務所に入っていた。大学を中退したモンテロはミュージシャンとしての試みに最初から失敗しているため、すぐにも兄弟と同じ道を歩むのではないかと不安だった。両親が言うには、彼はスマホばかり見ていて、もし音楽で成功しなかったら、将来どうするのかを考えていなかった。彼は、家族との同居を我慢していた妹と一緒に家を出た。この引っ越しのおかげで、昼にはいじくりまわす自由ができたが、まだ彼の人生に変化はなかった。そのとき妹は、また別の2人の姉妹と彼女の子供たちを一つ屋根の下で暮らせるようにリビングを模様替えし始めた。妹はモンテロに自分の居場所を見つけるよう話をした。やがて彼は大ヒット曲『オールド・タウン・ロード』に到着し、苦しい現実から飛び出すことができた。もうその先には行けないというところまで。

今や独力で彼はさらなる音楽作りに没頭している。何時間も、歌のバックトラックを作るために音楽販売サイトのサンプルビートをスクロールしていた。その一つで、彼は19歳のカイオワ・ロウキマと呼ばれる少年によるビートを発見した。ロウキマはビートスターとしての評判を得ており、そこではヤングキオの名前で知られ、音楽制作ソフト「フルーティーループ」で作ったビートを投稿していた。ロウキマは16歳のときにそのソフトウェアを友達からもらった。ユーチューバーとしての経験も積みながら、いくらかキャッシュを稼いでいたのだ。

最初ロウキマは彼の作ったビートや、時にはもっとポピュラーなトラックから一つの楽器をサンプリングしてアップロードしてユーチューブに送り、リース料20ドルで売っていた。サンプルをとるために調べて見つけた歌はそれぞれユーチューブのアルゴリズムに磨きをかけるのに役立ったが、それもナイン・インチ・ネイルズの歌が推奨リストに現れるまでだった。

ロウキマはそのロックバンドの曲をこれまで聞いたことがなかったが、トラック（録音された曲）で演奏されているバンジョーは楽しめた。彼は直ちにその楽器のサンプルをとってさまざまな歌のバックビートに変えていった。バンジョーの下にドラムを加えたサンプルを「未来タイプのビート」としてビートスターに投稿した。ヒルはそのビートに偶然出会い、それをダウンロードして、30ドルあまりを使った。彼にはそれが「いくつかたわごとを経験している悲しいカウボーイ」を表しているように思えたが、同時に自分の人生との類似点も見ていた。彼はそのビートを使って作ったあらゆる歌の利益の50%を得ることにした。リル・ナズ・Ｘとしても知られているモンテロがそのビートを使って作った歌が『オールド・タウン・ロード』（都会に倦んで、馬に乗って田舎道を通り、故郷に帰ろうとする人を歌った曲）である。

リル・ナズ・Ｘがそれを２０１８年12月にサウンドクラウドにアップしたところ、「Ｎａｓｅｒａｔｉ」と同じ問題に遭遇した。そのサイトでは引用は多く得られなかったが、ティックトックではブレイクした。「イヤッホーチャレンジ」と呼ばれるが、そこで人々はその歌を背景に流しながら、普段着からカウボーイブーツとシャツに変装しノリノリに踊る。『オールド・タウン・ロード』はティックトックで、やがて世界中でウイルス的広がりを示した。ほんの数か月前にはよどんだ空気の中から脱出しようともがいていたリル・ナズ・Ｘは世界のトップに躍り出たのだった。

その歌はカントリーのスター、ビリー・レイ・サイラスとリミックスされ、ビルボードホット１００チャートのトップに躍り出て、その座を歴史上最長期間（17週連続）キープした。「私に置かれた神の祝福に深く感謝しています」とリル・ナズ・Ｘはインスタグラムに投稿した。「この歌は1年も経たないうちに私の人生を、そして私の周囲を見る目を変えてしまいました」。ほかのミュージシャンたちは自分をスターダムに押し上げてくれることはティックトックの利益になると見ているが、相応の報酬があるとは感じていない。

26

ティックトックのつなげる力

ティックトックは、新人アーティストに生計を立てる機会を与えているばかりではない。音楽の意味するものを変えているのだ。

アーティストのなかには単に音楽と動画をくっつけているだけではない人たちがいる。彼らは本質的にティックトックに合うように既存の音楽を結合させている。

ジェイコブ・フェルドマンはヴァインが流行するようになったときには10代だった。そのロサンゼルスのティーン（ロスっ子）は2014年にそのアプリをダウンロードし、その並ぶもののない創造性を楽しんでいた。彼は特に音楽の小節がお気に入りだった。面白いと思われたミュージックトラックをコンピューターでプログラミングして何時間も過ごした。

フェルドマンは彼の2つの情熱をクロスオーバーさせようとした。プロットツイストという名前でそのアプリにアカウントを立ち上げ、挑戦を始めた。毎日1枚のシングルをアップロードし、一つの歌からもう一つの歌へ切れ目なく移行させたのである。その名前はフェルドマンの自惚れを説明している。あなたは一つの歌を聴くことから始め、一ビート小躍りしたら、別の歌に移動する。予測しづらく、面白い。プロットツイストは人気を得た。そのころにはもうヴァインは営業停止となり、そのアプリにおけるフェルドマンのアカウントは60万フォロワーを獲得していた。新しい何かをつくり出そうとしてデジタルに切り替えた歌は動画で使用され、5億回以上見られた。

ヴァインが営業中止になる直前、フェルドマンがボストンのバークリー音楽学院で研究を始めたころ、彼の音楽的才能にもっとフィットしたものを発見した。ミュージカリーと呼ばれるアプリが、アプリのストアランキングで上がり始め、それはフェルドマンのスキルによくフィットしていた。そこで彼は両方のプラットフォーム、つまりミュージカリーとヴァインに、コンテンツを投稿し始めた。ユーチューブのアカウントももっていたので、そこに彼がマッシュアップした歌のフルバージョンを投稿したが、コピーライトの問題から、頻繁にアップロードするのは時間の無駄だとわかった。彼のプロットツイストのアカウントに使ったフェルドマンの好きな曲のうち一つはソウルジャ・ボーイの2007年カルトクラシックソング『クランク・ザット』だった。トラックそのものはきわめて創意に富んでいる。繰り返しが多く、歌詞は一貫していない。ところが耳に残る。とりわけそのバックビートのスイッチが入ったり、切れたりする。

フェルドマンがマッシュアップする工程はなかば自動化されていた。彼は自分のコンピューターにトラックの巨大なバックカタログをもっていて、1分あたり、またはキーあたりのビートで分類し、同じキーで同じリズムをもつ歌とマッシュアップさせていた。「私は実際にソウルジャ・ボーイとほかのやはり流行っているワン・ダイレクションの『ドラッグ・ミー・ダウン』のような歌をミックスしました」とフェルドマンは言う。「私は毎日そういうことをしていたのです。考えられるものは何でもつなげていました」

彼の音楽はミュージカリーである程度の成功を収めたが、ティックトックとの合併後に彼のアカウントは自動的にティックトックに移された。フェルドマンはティックトックで最も一般的に使われているトラックのうちいくつかを、いくつかのポピュラーソングと結合して新しい歌を作り上げている。そのうちいくつかは、『オールド・タウン・ロード』のようにティックトックでナンバーワンに輝いた歌の視聴者より数が多かった。ところが、音楽関係から得られる彼の収入は合計で月に100ドル以下だったというのは、彼が結合させた歌のいずれにも著作権を所有していなかったからだ。

多くの人たちがそれはフェアではないと議論した。ポップスターやミュージシャンたちは生活の日々を、週を、新しい歌作りにかけ、そうすることで途方もない経済的リスクを負う。フェルドマンはすでに流行っていることがわかっている歌を継ぎ合わせ、彼の名前でアップした。それでもそれには時間と労力が必要だ。フェルドマンの計算だと、1回のマッシュアップに2時間かかっている。プラットフォームで強大なウイルス的な広がりを見せるトレンドの多くは彼のおかげである。彼はただ単に評価されていないだけだ。最初に音楽家としての名声を得たものの、その名声が確立するまでにずっと長い時間がかかる人もいる。

27

一発屋の人生をも変える

マシュー・ワイルダーは辞書に定義されている「一発屋」を体現したような人である。1970年代終盤は自分より成功した歌手のバックボーカルをしていたが、1983年に、彼の歩みを破るものは何もないとか、誰も彼の歩みを遅らせようとする人はいないという意味のアップビートで生き生きとした曲『想い出のステップ』でチャートのトップに迫った。そのヒットした歌は、以前からの彼の所属レーベル、アリスタ・レコードについて喚きたいことを書いたものだった。このレーベルはワイルダーとの契約書にサインをしたものの、彼のキャリアを進展させるようなことは何一つしなかった。彼は音楽番組に出演し、将来の成功、つまり2番目のシングルが成功することに賭けていた。『想い出のステップ』に続く『The Kid's American』はうまくいかなかった。リリースしたセカンドアルバムはまったくの失敗だった。そしてそれからの25年の大部分を、ワイルダーはカルトクラシックとかあまり面白くないパブクイズの質問に答えるほかに何もしなかった。

ところが、その歌の精神と陽気な音楽が復活ののろしを上げた。2020年、『想い出のステップ』はティックトックユーザーが再発見した歌として復活し、彼らの動画に使われるようになってきた。初めに彼らはその歌詞を1行ずつ書いてはミームとして使い、年上の親類に送って意味がわかるかどうか確かめようとした。またほかの人はただコーラスと一緒にダンスを始めた。『想い出のステップ』が流行っていることに最初に気づいたのはワイルダーの兄弟で、自分の兄弟のキャリアに何か動向があればアドバイスできるようにグーグルアラートをセットしておいたのである。ちょうど同じころ、フェルドマンのレコードレーベルであるソニーが、彼の歌が大ヒットしたあとに生まれた子供たちが大きくなって、ティックトックという奇妙な名前のアプリでその歌を使いだしたことに気づいているかどうかを尋ねる書簡を送ってきた。

すべてがこの68歳には驚きだった。彼は決然として彼自身のティックトックアカウントを立ち上げ、動画を撮影した。彼はグリーンスクリーンの霧を通して現れ、オフホワイトのキルトの掛布団にくるまり、歌の歌詞どおりに演じてみせた。かつて流行った彼の歌が復活したことへの敬意のしるしであったろう。ワイルダーはティックトックでの成功をもってついにミュージックチャートへの登場をもう一度果たした。「あらゆるものには命があり、何度もカムバックできて、何度も高く評価されるという事実は、私たちが成し遂げることができることの深遠さを物語っています」と彼はBBCに話した。「私はぞくぞくしています。大げさかもしれないし、繰り返しになるのかもしれませんが、ぞくぞくしています」

彼は唯一の一発屋ではない。ちょうどジェイコブ・フェルドマンがマライア・キャリーのクリスマスソング『恋人たちのクリスマス』をプロットツイストのトラックに使ったおかげで、再び盛り返すという2度目のブームを経験しているのと同じように、別の復活劇がドイツ語圏内のティックトックで起こった。ドイツ語圏の家族はクリスマスに寄り集まり、休日を祝うためにビスケットやケーキを焼く。クリスマスのお菓子作りはティックトックでも広がり、ドイツ語圏では12月10日以降、#Weihnachtsbackereiのハッシュタグをつけて流行した。そしてていねいに丸められ、カットされ、冷やされるクリスマスビスケット作りの動画に、72歳の退職生活を幸せに送っている男性が歌う一つの歌が録音された。

ロルフ・ツコフスキは1987年、クリスマスの数日前、砂糖や小麦粉やバターまみれになるときに陥るカオスを歌った子供向けの短い歌をレコーディングして、ドイツとドイツ語圏でヒーローになった。その歌のタイトルは『クリスマスのパン屋さんで』。それはツコフスキが1986年に自分の家族と一緒にクリスマスをお祝いしようとしたときに思いついたもの。1年後、正式にそれをリリースしたところ、クリスマス音楽のそうそうたるラインアップに参入し、あらゆるファミリー向けクリスマス音楽を抑えつけた。しかし、子供たちは成長期にはお菓子作りをするが、その後は卒業する。ただ、それがティックトックにつながっているかぎり、多くの人々の2019年クリスマスのお祝いのサウンドトラックとなった。「私にとってそれは天からのギフトのようなものです」とツコフスキはその年のクリスマス前の週に会ったときに話した。彼はティックトックに感謝していた。「ソーシャルメディアは今や全世代へのメッセージを伝達するのに重要な役割を担っています」

28

2020年コンベンションセンターでの劇的な変化

2020年2月。私はヴィドコン（ユーチューバーの祭典）ロンドンに戻ってきた。

そこで値段の高すぎるサンドウィッチを売っているにぎにぎしいベーカリーの前には（一卵性双生児の）ネファティ兄弟がいる。人通りが多いため、ジャミールとジャメールの兄弟は目立たない。彼らは大量のタトゥーを入れており、首や前腕はインクでダークに染まり、強くて幅広の鼻にずうずうしい笑みを湛えている。彼らのぶらぶら揺れるイヤリングと毛を染めた緩やかなクイフスタイル（前髪を膨らませて後ろになでつける髪形）は、他の男性と大きな違いはなかった。もしかしたら、彼らは母国ポーランドの、あるいは彼らが借り住まいをしているイギリスのブラックバーンの変哲のないホームタウンで建設作業員でもありえたかもしれない。しかしいったん彼らをヴィドコンの中央に置き、よく合う鮮やかなオレンジ色のTシャツを着せ、ティックトックで彼らの動きの一つひとつを見つめる1320万人ほどの人のうちいく人かの間に置くと、彼らは逃さず2人を注視することになる。特に、彼らがレッドアローズ（イギリス空軍のアクロバットチーム）の一員のように頭を下げ、ウエストの前で腕を交差させるというフォーメーションで立っているときは。そのときポールに小さなカメラをくっつけた男が、彼らから離れて反対の方向へ小走りに走り去った。

私たちは野外でティックトックの撮影が進んでいるのを目の当たりにしようとしていた。

私はゾーイ・グラットとユーチューバーのサイモン・クラークと一緒にカンファレンスセンターを歩いていた。クラークはあとで彼の特殊専門分野である気象科学に関する教育コンテンツを作る予定だ。少しの間ぶらぶらしていると、クラークが突然、彼のユーチューブチャンネルのブログ用に使っているカメラを取り出した。

私たちはしばらくの間待った。あのカメラマンが急いで走り去り、ダンスの一行にズームインできるように、カメラの位置をセットした。動画がドラマチックに始まるように見えるため、正常のスピードに戻す前にスピードアップしたようだった。しかし彼はたいていの人が期待するよりも先に進む。会場に沿ったほぼ600メートルの道の3分の2まで行った。そこでカメラを安定させる必要があったのは、バウンドする場面をスピードアップすると跳ね返りやぼやけが目立つからだ。また双子の兄弟から離れてウサギのように走り去ったカメラマンが、用心深いカメがつま先立ちで歩いて戻ってくるように見えるからだ。それは初期の映画監督が、たとえばチャーリー・チャップリンも、問題として認めている。スローモーションでは細かい揺れが、スピードアップすると山腹を車で走り上がるような激しい揺れとなる。

とうとう彼はそこで止まる。双子がアクションに入る前に1〜2秒の一時停止がある双子らは1人ずつ肩越しに振り返り、バックダンサーも同じことをする。

それだ！　カメラマンはそのショットを一瞬止め、彼らはポーズをとり続ける。それからダンサーらはばらけていなくなり、双子は別の動画制作に関わるセットに参加する。

この出来事はあまり感心させられないけれど、ソーシャルメディアにおける新たな標準を象徴している。JOBYのゴリラポッド（三脚）の上でキャノンのEOS5Dを腕を伸ばして振り回し、ユーチューブのカメラに向かってエネルギッシュに身ぶり手ぶりをする、たまらなく魅力的な若者を二度見しなくてすむようになるまでに数年かかった。それと同じように、私たちはまだティックトック台頭の初期にいて、振り付けられた入り組んだダンスをするために人々が自発的に集まる光景に出くわすことは、まだよくあることではない。私たちがソーシャルメディアでよく見る、遠くから撮影した動画の投稿は、ティックトックを作り上げるのに綿密な計画が必要であることをからかっているのだ。そのアプリ自身のソーシャルメディアアカウントが有罪ですらあるのは、状況に当てはまるバックグラウンドミュージックなしに、熱狂的なダンスを踊る動画を人々が携帯電話で共有しているからだ。

ティックトックはヴィドコンを引き継ぐつもりだろう。この動画共有コンベンションは歴史がまだ浅く、成り上がりものと見られていたユーチューブに長い間支えられていた。今回、ティックトックはこれまでより多くのパネルに現れたが、そのほとんどすべてでバイトダンスがスポンサーになっていた。遊びのための遊びである。エキシビションホールには、オンラインの動画作成者が自身の商品を疲れ果てた10代前半の子供らに売り歩いていたが、そこはティックトックが提供していた。

ヴィドコンロンドン2020で最も人気のあるチケットはティックトックパーティーだ。ショーディッチにある地下バーで開催される。参加者は発光する紙のリストバンドが必要で、一流のクリエイターが集まるラウンジではおしゃべりでいかに一人を捉えるかが勝負となる。

砂時計の砂はオンライン動画の世界でゆっくりと、だが確実に流れている。2021年6月、ティックトックはヴィドコンのオフィシャルスポンサーとして、ユーチューブに取って代わった。

それはオンライン動画市場の急激な変化のしるしである。

第6章

ティックトックと地政学

29

コロナ禍での拡大と政治への影響

２０１９年、ティックトックは瞬く間に地球を横断して広がった。バイトダンスは必要でなければ、ユーザー数についてのデータを進んで公表しないが、その使用はモバイルデータ通信と分析プロバイダー、アップアニー社によってモニターされている。その結果は信じられないものだった。２０１９年中に、中国以外のアンドロイド・スマートフォンのユーザーは６８０億時間〜78億年をティックトックで費やしていた。その年12月、中国武漢から発生した新型コロナウイルスの拡散によって起こされた急速な世界的シャットダウンは、２０２０年ティックトックにとってはさらなる恩恵をもたらした。

新型コロナウイルス蔓延の発生源である武漢市が、中国共産党の命によって２０２０年1月23

日、外界からシャットダウンされたとき、市の住民たちはスマホに飛びついた。スマホユーザーは1日に平均5時間多く、そして1日に合計6時間をドウインで過ごした。1週間と半分が過ぎたころ、次のようなことが公表された。中国におけるアンドロイド・スマホユーザーは1日に平均7・5時間をドウインで費やし、1週間ではトータル30億時間以上をアプリで費やし、それは2019年における週平均より130%多かった。

それは間もなく諸外国でも繰り返されるパターンだった。イタリアは3月9日に国境を閉じ、市民は屋内にいるよう命じられた。イタリア人は1日に平均して1時間半余計にスマホに時間を使っていた。スペインも間もなく厳格なロックダウンを発表。彼らもまた1日に30分余計にスマホで時間を費やした。必ずしもすべての人々がティックトックに取りかかったわけではない。多くのほかのアプリも同様の増加を見ている。とはいえ、ニュース報道で聞いたことがある人や、ほんの数か月前のクリスマスに家族で集まったとき、偶然そのアプリで遊ぶ子供や孫がいた人々に、手も好奇心も満足したい時間が突然できたのだ。彼らはアプリストアにログインし、自分の名前をタイプし、選んだアプリをダウンロードした。

2020年1月から3月までの間、ティックトックは世界中のアップルとアンドロイドで、最もよくダウンロードされた。そのころ、月間アクティブユーザー（企業測定基準に用いられる月に少なくとも一度はアプリを開ける人々を指す）数は、アメリカで45％増えた。余分の１３００万人がアメリカ中でティックトックにはまっていた。それはイリノイ州の人口に相当する。同じ２０１９年の四半期に、ティックトックだけが２００万人のユーザーを増やしている。

いったんユーザーになれば、そのままだ。２０２０年の3月、アメリカ人はティックトックにはまり、その月だけで1億３４００万時間かけてスクロールしては視聴していた。内部資料によれば、ユーザーは1日に少なくとも平均8回アプリを開くことがわかっている。

いったいなぜ、ティックトックが一見何もないところから生じたように見えるのか、それを理解するために、長期にわたるその成長を見るのも有用だろう。２０１８年3月、ちょうどミュージカリーとティックトックが合併する数か月前、中国以外の世界的ユーザーはそのアプリに６６００万時間を費やしていた。２０２０年3月までに、それは28億時間にまで急上昇した。石器時代と今日との間の隔たりといってもいいくらいだ。

ティックトックはすでにユーチューブより早い成長の軌道にあって、最も近い競争者であるヴァインよりはるかに成功している。そうなったのは、より耽溺的で、没頭させられるからだ。もしもあなたがユーチューブの動画を見たいとしたら、あなたはそれを探さなければならない。ますますプラットフォームでの動画の視聴時間が増えていること、ユーチューブを見る方法がスマホやデスクトップモニターから居間に据えられたテレビに移っていることを考えると、それを見るためには前もって時間を決めて確保しておかねばならない。ティックトックの何かを見たいのなら、そのアプリを立ち上げれば、フルスクリーン画面に浸り、フルサウンド・エンタテインメントに溺れることができる。耽溺するようにデザインされているばかりか、よく資金調達もされている。バイトダンスは地球上にティックトックが広がっていく歴史において、ほかのどのデベロッパーよりお金を費やしている。2019年、アメリカで視聴者を増やすための広告に1日300万ドルを使っている。そしてそれは幸運を引き当てた。ティックトックは新型コロナウイルスのような事変でダメージを受けたかもしれないが、その代わり、それを利用して、家にいなければいけない間のエンタテインメントを探す人々の天国となったのだ。

そのアプリはユーザーの数もそれで過ごす時間数も伸びたが、そればかりか人々の意識に浸透していく方法でも成長した。2019年5月18日、リル・ナズ・Xの『オールド・タウン・ロード』がビルボードホット100チャートのトップを6週間連続で記録した翌日、そして有名なスターをそろえたミュージックビデオがインターネットでリリースされた日、24時間以内にティックトックワールドワイドについて21本の記事が書かれた。1時間に1本以下というわけだ。1年後、2020年5月18日。その日はティックトックがディズニーのストリーミング部門の長をヘッドハンティングし、アメリカでの最高経営責任者にするとアナウンスした日だが、ティックトックに関する記事は990本だった。そして、2021年5月18日には、1430本の別個の記事が。ほとんど1分に1本書かれたことになる。

そしてそれは政治的に影響を及ぼし始めたのである。2020年5月、警官によるジョージ・フロイド氏殺害事件に続いて、ソーシャルメディアがアメリカおよび世界でブラック・ライブズ・マター抗議運動を引き起こし、駆り立てた。ティックトックは特に影響を及ぼした。ジョージ・フロイド氏の死から1週間も経たないうちに、36万5000本の動画がハッシュタグ#BlackLivesMatterを使ってアップロードされた。その動画は12億5000万回見られた。そしてジョージ・フロイドの名前は抗議運動とともにアプリを通して生き続けるだろう。1週間以内に10万本の動画が彼の名前で投稿され、5億6000万回見られた。

2020年5月30日夕方、ティックトックで#BlackLivesMatterのハッシュタグをスクロールしていたときに見られた動画の一つは、知性があって、実年齢より大人びたチャーリー・ダミリオ16歳（フォロワー数約1億人。世界1位）からのものだろう。その動画はティックトックの1本あたりに許容される最大時間が使われ、こう始まる。「私たち、あらゆる人種がこのようなときには話し合う必要があります」と彼女は言う。「インフルエンサーとしてプラットフォームを与えられてきた人間として、私が認識しているのは、たった今も世界に人種間不平等があることを人々に知らせる仕事が私にはあるということです」

その動画と、それに関するメッセージはアップロードしてから11時間内に1500万回見られている。16時間以内では、2100万回。ダミリオはかつて、複雑で難解な振り付けをしたダンス動画で有名になった。いかに踊るかで、大きなトレンドを引き起こしてきた。しかしこれは違う。長い間、政治に無関心を公言してきたティックトックだから、そこから目を背けることは難しくはなかった。けれども、その最大のスターが抗議運動に注目するよう要請したのだ。今や次のトレンドを形作るのは、単にアプリでダミリオがすることではない。彼女が言ったことが、これからの日々で交わされる会話の内容やトーンを決めるだろう。慎重に、政治色のない存在であろうと自ら努力してきたティックトックだが、突如として文化的、政治的会話に引きずりこまれようとしていた。しかもアメリカにおいてのみならず。

30

インドでの大流行と大失敗

インドのように早い時期からティックトックになじんだところはほとんどない。急速に膨張し、ますます密集していく人口。人々は、気楽に楽しめて短編のエンタテインメントを探している。たやすくアクセスでき、今にも爆発しそうな興味を抱いて、人々はインターネットデータのなかを放浪している。

2017年9月、ティックトックが世界的に公開されると、インドではスマホ20台中1台にアプリがインストールされるようになるまで、6か月かかった。2019年4月までに、インドの電話4台のうち1台のメイン画面に置かれることを誇っていた。通信会社大手ジオによって、速いモバイル接続を大量生産することで急増したためだった。インドの階層ピラー2および3の都市は、デリー、バンガロール、チェンナイ、ムンバイ、コルカタのような階層ピラー1の大都市より小さくて、未開発のところが多いが、そこに住む人々は労働生活の気晴らしとして、群れをなしてそのアプリに向かうようになったのだ。

ティックトックのインド人ユーザーの収入は月に2万5000ルピー以下、あるいは325ドル。またティックトックは、コミュニケーションの主な方法として活字ではなく、短くて気楽に楽しめる動画を用いる最初のアプリの一つだったので、読み書きのできないユーザーにとってはありがたかった。

日常生活を動画でアプリに記録するだけでなく、インドの数万人から数十万人のティックトックユーザーはイスライル・アンサリなどのセレブリティをフォローした。アンサリは、彼の兄弟がある結婚式で見せられた一本の動画からティックトックを知り、試してみようと1台のスマホを手に入れるまで、ウッタル・プラデーシュ州にあるハードウェア店で働いていた。彼がティックトックに投稿した最初の動画は、2018年5月の水田で通り過ぎる10歳の少年をつかまえて、スマホをもってもらい撮影したものだった。彼はたちまちフォロワーを獲得した。20歳で、200万人以上のフォロワーを得た。彼の動画はインドの奇妙なユーモアを反映しており、そのシステムのなかで生きる田舎の人々への好奇心を扱ったもので、数万回から数十万回見られている。

なぜティックトックがインドでそのような勢いを得たのか、アンサリが例証している。ウッタル・プラデーシュ州における貧しい生活から、彼はセレブリティになり、アプリから彼を知ったムンバイの住民によって、街中で何度も呼び止められた。このような展開が起こったのは、少なくとも、ティックトックが屋外での使用を許されていたからだろう。

何年もの間、インドの主要都市では大金持ちにとってティックトックはあまりにも未成熟なものと見られていた。だが、それも新型コロナウイルスが大都市の人口を屋内に押し込め、ムンバイ住民やその他のピラーがそのアプリを使い始めるまでだった。2020年には、ティックトックはピラー1の市民とそれに準ずる住民によって、広く使用された。1日あたり23分。それはその国の最も流行っているアプリとして、WhatsAppと肩を並べるレベルにまで到達していた。

ところが、その成長が論争を引き起こしてしまったのである。

それはある寺院の外側の床で、倒立のパフォーマンスをしていた野球帽とスキニージーンズを身に着けた2人の若い女性から始まった。驚くまでもないが、寺院の管理者が失望したのは、彼女らがティックトックに投稿した動画にシャー・ジャハーンの歴史や重要性について何一つ詳細に触れられていなかったからだ。

17世紀の前半、インドのムガール皇帝はインド半島のいくつかの州と戦争を始め、1636年から1638年の2年の間にアフマドナガルやゴルコンダに勝利した。征服は、しかし、十分ではなかったと皇帝は認識していた。すぐさま、他者が土地を奪い返し、歴史書から彼の領土は消し去られた。そこで彼は、自分自身に不朽の名声を与える別の方法を見出した。何世紀にもわたって耐える建物を建設することだ。20世紀初めの首都アグラで、彼は2つの巨大なモスクと世界最大のモニュメント、タージ・マハルを建設した。22年をかけて建設されたタージ・マハルは、1631年、出産中に亡くなったジャハーンの愛妻ムムターズ・マハルを偲ぶ建築学的に斬新な大理石のお墓だった。1648年、ジャハーンは首都をアグラから150マイル北方のデリーに移し、彼の権威をそこに刻印しようとした。デリー最大の観光地であるレッド・フォートを建て、同時に、ジャマー・マスジッドと名付けた別のモスクも建設したのだった。

ジャマー・マスジッドの建設が始まったのは、ジャハーンがデリーに定住してから2年後だった。5000人以上の労働者が、正式にはマスジデ・ジャハーン・ヌマーあるいは「世界を見渡すモスク」と呼ばれる建物の建設場所に、赤い砂岩と白い大理石の階段を30段以上積み上げた。

このモスクの建設に6年かかったが、メッカに面していて、金曜日の祈りのために2万5000人を収容することができる。87万人以上のインド人とまた別の12万5000人の観光客が毎年訪れている。

訪れた観光客たちは巡礼の旅をしている人たちと並んで歩く間、しばしば家族に見せるためとか、自分のSNS用などのために何枚かスナップ写真を撮る。ところが、インドにおけるティックトックの流行は、モスクの責任者であるアフマド・ブハーリーとの新たな紛糾を生んだのであった。

ティックトックに投稿された2人の女性が細いジーンズをはいて倒立している動画は、2019年早々ウイルス的広がりを見せていた。何世紀も前に礼拝をする所としてジャハーンによってデザインされた場所が、振り付けしたダンスを拡散するソーシャルメディアの投稿物の理想的な背景になってしまったのだ。

そのアプリ側は、倒立女性の動画やダンスの背景に歴史的建造物を使っている多数の模倣動画を認めない、とした。事実、その動画や類似のものを削除したのだ。ところが、人々はそれらをダウンロードして、他のソーシャルプラットフォームに再投稿したから、永続的に生かされることが確実になった。

（色っぽく）動き回る女性はフェイスブックやツイッターで拡散し続けているが、彼女らはメディア監視の対象であり、考慮すべき哲学的問題があるとされた。その聖なる場所が、まさしく次の拡散の成功を練るのにふさわしい場所となっていいのだろうか？

ブハーリーはすでに心を決めていた。「そこがモスクだろうが、寺院だろうが、グルドワラだろうが、そこは礼拝のための場所であって、歌ったり踊ったりする場所ではない」とインドのテレグラフ紙に語った。2019年5月、ブハーリーは敷地内でスマホを見せびらかしている人が来たら監視を始めるよう、スタッフに指示した。三輪タクシーが敷地を横断して、何か不行跡を起こしそうな人がいれば、手に負えなくなる前に止めるように言いつけた。

一人のジャーナリストがブハーリーに、誰かがただ単に親戚や友人に見せるためにモスクを撮影しているだけなのか、あるいは聖なる礼拝場に悪評をもたらすティックトックをいじろうとしているのかどうか、それはどうしたらわかるのかと聞いた。彼の答えは、アメリカ合衆国最高裁判事ポッター・スチュワートが1964年にポルノグラフィーをいかに定義するのかと聞かれたとき、「見ればそれとわかる」と答えたのと同じようなものだった。普通、一人がカメラの前で何か始めると、別の人はフレームに入り、踊ったり、ジャンプしたり、何かバカなことをする。「これが、ティックトックだとわかるときなのだ」とブハーリーは主張した。

同じころ、三輪タクシーの見回りチームだけでは、超ウイルス性に拡散するソーシャルメディアアプリの広がりを抑えるには十分ではないとわかった。10ダウンロード中3つがインドからのものだったのだ。そこで彼はライターに依頼して、黒板に白いヒンズー語の文字で書いた注意書きを貼り付けるよう依頼した。その英語翻訳がこうだ。「モスク内部でのティックトックの使用は厳禁」。それがインドにおけるティックトックの流行を解消する唯一の解決策とは、とても言えなかった。

チェンナイから来た男性V・カライヤラサンは、彼が男性と女性キャラクターに切り替わる動画を投稿してティックトックで有名になったのだが、2018年10月に彼は自殺した。名声に対する美辞麗句はすっぱいものとなり、彼の家族は彼を憎み、家名を傷つけたと感じた。「多くのフォロワーは彼をあざけり、彼のことをトランスジェンダーとか宦官と呼んでいました」と鉄道線路での彼の死を調べていた警官が言った。

彼は最初に注目を浴びたティックトック関連死であったが、ティックトックの問題の核心を突いた。一部の人には、その動画がインドのような保守的な国家では物議をかもすポルノ写真のように見えるのだ。ティックトックは、インド国内にデータセンターを設立し、有害な影響を心配している人々への懐柔策を考慮することで、政治家や取締官からの批判を鎮めようとした。しかし、それでは不十分だった。

2019年の初め、タミル・ナードゥ州でティックトックに対する激しい反発が始まり、数人の地方政治家がそれは品格を落とす文化だと主張し、そのアプリを禁止するべく動き出した。彼らは2週間そのアプリを閉鎖することに成功した。それはマドラスに広がり、そこでは同年4月に、最高裁判所がアプリを禁止した。その判事は「いわゆる当該アプリを使用する子供たちは傷つきやすくなっていて、〝それ〟は彼らを性的プレデターにさらすかもしれない」と言った。ティックトックはその危険を解消すると約束し、その月の終わりころには禁止が解除された。

しかしバイトダンスの主張によれば、2019年4月に禁止されてから毎日50万ドルを失っており、この国における激しい生存競争にさらされている。


7月、ティックトックはインド政府によって反国家的活動と称され、非難された。懸念を和らげようとして、ティックトックはこの国で教育プログラムを始めた。しかしそれは容易ではない休戦だった。賛否両論あるコンテンツがそうであるように、境界線上の死が続いた。ティックトックで1300万人のフォロワーのいるクリエイターであるファイサル・シディッキが投稿した9秒の動画は抗議を軽視した。彼のアカウントはティックトックによって直ちに禁止されたが、繰り返されるヘッドラインはその記述が掲示板にあることを意味していた。

2020年6月29日、インド中央政府はティックトックを含めて59のアプリをインドで中止にした。それらアプリの一つひとつはインドの数億人の人々が使用してきたものなのだが、「インドの君主や高潔な人、インドの防衛、州や公衆の秩序に悪影響を与えようとした」と政府は断じた。その国でティックトックを開こうとしたユーザーは、ポンと飛び出る通達に出会う。それは「親愛なるユーザーの皆様」で始まる。「われわれは59のアプリを禁じるというインド政府の指令に従う準備を進めているところです。インドにおける私たちのすべてのユーザー様のプライバシーと安全性は保障されています」

もちろん、それ以上にもっといろいろあった。この時、インドは中国と国境で小競り合いをしていた。ティックトックはこれまで兵器化されてきたことがあったので、中国政府にくっつけようとする試み、領土保全をある国に心配させるような国家の威信をかけた対外強硬論的やり方を禁止していた。もしもその国の形がそっくり同じに保たれると保証できないようなら、少なくとも、「ティックトック禁止」は確実だろう。

その政府命令は暫定的なものに分類されたが、ティックトックは二度とインドに戻らなかった。2021年1月、その暫定的な禁止は永続的になった。その時までに、ティックトックはインドで少なくとも2億人のユーザーを失ったが、彼らはたいてい自国産の突然現れた競合するアプリに散らばっていった。だが、そのいずれもあまりよくなかった。試しに使用してみると、インド人4人中1人はその代替品はティックトックと同等か、それよりよかったと言う。ほぼ同じ比率、5人中1人は、それらは劣っていると言う。

ティックトックにとってインドは大きな損失だったが、インドにとっては大きな損失ではなかった。40%のインド人はティックトックを禁止した政府は正しかったと言うが、反対に14%の人々は悪い考えだと言っている。また、ほぼ同じ割合の人々がティックトックの不在を寂しがっているか、いないかで割れている。ほとんどが恋しくないと言っているわけだ。そして37%の人々はティックトックには国家安全上のリスクがあると言う。それはおそらく、地政学のゆえだろう。調査したインド人の半数が、ティックトックは中国所有のアプリであるということに同意したという。

多数のフォロワーを得ているクリエイターにとって、禁止は衝撃だった。ジーサ・スリンダールの家族は、ブランドスポンサーシップから商品の表示と引き換えに、月に約5万ルピー（510ドル）の収入を得ていた。「いつかそうなるとはわかっていたので、ショックとか失望したということはありません」と彼女の娘サラダは言う。「いつかこういうことが起きるとわかっていた」とサラダはテクノロジーに詳しい友人の何人かに話したことがあった。友人らは彼女にティックトックに対する記事の見出しが、強いナショナリストの色合いになるにつれ、終わりは近いというシグナルを出していると警告してくれたのだ。2020年半ばの禁止令が下される1か月ほど前、サラダは母親とティックトックに代わる2つの国産のプラットフォームに投稿を始めた。彼女らはRizzleとChingariの2つに決めた。

Rizzleはジーサのお気に入りの代替プラットフォームだった。もしも彼女の100万人近いフォロワーがティックトックに投稿できなくなれば、ここにするだろう。問題は視聴者が必ずしも彼女についてきてないということだ。2020年4月初旬にわれわれが話し合ったとき、ティックトックがインドで幕を下ろしてから、1か月ちょっと経っていた。ジーサにはほぼ25万人のフォロワーがRizzleにいたが、彼らは1040万回彼女の動画を見た。投稿速度は遅くなった。ティックトックでは、毎日数十回以上投稿していたのに、Rizzleでは月に12回だけになってしまった。「ティックトックのようではないので、難しいのです」とサラダは説明する。「しかも、かなりの数の人たちがティックトックから直接来るので、ある程度最初から始めないといけないのです」

しかしジーサと娘がティックトックで築いたフォロワーは、彼女がそれ以上Rizzleに参加するのを拒んだ。少なくとも、一部の人たちは。Rizzleは彼女にとって代替のアプリだったが、ティックトックをあのようなスーパーパワーのアプリにしている2つの特徴をもってはいなかった。つまり、娘をもつインド人の母親を一夜にしてスターへと変える恐るべきアルゴリズムと、ジーサのような技術的素養もないと思われる人に、人々が見たがるような動画を創作させてしまうツールではなかったのだ。

母と娘はまた、新しいアプリの視聴者が何を求めているかを勉強中である。ジーサのティックトックファンはサリーをまとった母親が流行歌に合わせ、顔にはにっこり笑みを浮かべて踊る動画に飛びつくが、Ｒｉｚｚｌｅの視聴者ははるかに厳しい。ジーサ母娘にとって今はまだ試行錯誤の過程にある。「ゆっくりと、確実に動画を作り、人々が何を好み、何を嫌がるのかを把握しようとしています」と言う娘。「人々の反応を見てから、コンテンツを作ります」

31 シリコンバレーによる支配の終焉

中国テクノロジーの台頭はインドに対してばかりか、カリフォルニアにおける企業が長きにわたってインターネットを支配してきたアメリカに対しても、直接的な挑戦となった。

私たちは自分の生活をフェイスブックや、グーグルが所有するユーチューブにアップロードする。奇妙なことに、生まれたばかりの赤ちゃんの写真をシェアし、宣伝用アルゴリズムで管理されている「デジタルパンくず」のなかに自分たちの生活をつづることに、心地よさを感じている。シリコンバレーの巨人たちがつかの間、私たちのデータを利用するも、ひどい目に遭うことはないと感じている。私たちがシェアしているデータはまだ平凡なものの寄せ集めであるが、総計をとると、信じられないほど侵略的な何かになる。しかし、私たちのデータを加工し、分析するために送る宛先がMenlo Park, 94025（フェイスブックの所在地）あるいはMountain View, 94093（グーグルプレックスの所在地）ならいいが、本部がShuangYuShu, Haidan Qu, Beijingにある会社に送ろうというのだ。そうすると、私たちのなかにはそれを好まない人々もいる。

今や、カリフォルニア居住区のパワーは衰え始めている。多くの人たちは、ティックトックが中国のテクノロジー侵略のためのカウボーイにすぎないと信じている。２０１９年、ヴィドコンのアメリカ前哨基地で怒号が上がったのは、「イースト――ウエストフォーラム」と呼ばれる招待客のみのイベントが、ビデオカンファランスが開かれていたコンベンションセンターから道をちょっと下がったマリオットホテルで開催されていたときだった。そのフォーラムは、中国の大手ＩＴ企業がＱｉｎｔｅｎｇ大学とタイアップして、たまたま7月17日のヴィドコンが正式にオープンする前日に開催された。それは、フォーラム参加者の一人がジャーナリストのテイラー・ロレンツに話したことだが、クリエイターやアメリカのコンピューター会社が自分のプラットフォームでどんな問題を扱っているのかを、中国のインターネット会社の代表者たちが学ぶためのものだった。そのイベントはパワーの移行を予言するものとなる。今、振り返ると、西側諸国に手が届くまで市場が膨張するのを待望するのが、中国企業のミッションであった。

グーグルで「ティックトックは〇〇」と入力してみると、不安がっている人々がどんな恐れを抱いているか調べることができる。サーチエンジンのアルゴリズム、それはつまり、ほかのＩＴ企業と同じように、私たちが検索バーに入力したことをトラッキングすることで私たちの思考をくまなく調べることだが、それは、私たちが最も欲しがっていると思われる答えを提供するのである。ティックトックは安全か、危険か、悪いか、禁忌されているか、と。そして検索結果のトップに来るのが「中国人」なのである。

それは人々がふざけているところを撮った動画共有アプリよりも広い問題へと煽られている。しかし、もしティックトックがその比類ない上昇を続けるのなら、それらは疑わしくなる質問でもある。というのは、それは私たちのスマホのコントロールを奪い取ろうとする多くの中国アプリにおける最初のものだからだ。そして、インターネットのビッグネームたちはそれを知っている。いや、しばらくは知っていた。２０１８年10月、アップルの社長であるティム・クックはバイトダンスの本社長から、中国におけるビジネスの成長を見る定期的なビジネス視察の一環である北京訪問を、しばらくの間やめるように求められた。そのころ、会社の成長はもう成層圏レベルになるほど上昇に転じていた。クックがバイトダンスのオフィスを歩き回ると従業員たちは握手をしたり、スマホを顔にかざして、自分らのオフィスに有名な重役が存在することを実感した。ジャン・イーミンは彼と並んで歩いていた。世界的にはほとんど知られていなかったが、数年にわたって、2人はごく自然に交流を重ねた。
バイトダンスは国境を越えて拡大していった中国の最初の会社ではない。テンセントはメッセージングアプリWeChatを運営し、2014年に海外進出を試みたがほとんど成功しなかった。その理由は、ユーザーがすでにWhatsAppやフェイスブックのメッセンジャーを使用していたからである。しかし、バイトダンスははるかに成功した。

人々が口にした危険性のなかには、たとえば、製品の方向性や特色に関する決定がバイトダンスの中国オフィスに中央集権化されるのではないか、あるいは、この会社の世界中のサテライトオフィスは操業上の決定事項ばかりに従わされるのではないか、といったことがあった。しかし、バイトダンスにとっては珍しくも何ともないことだ。フェイスブックを、アップル、ネットフリックス、あるいはアマゾンを見てみよう。実際には、どんなIT企業でもそのソフトウェアは世界中で使えるものとして開発し、世界中の国々で問題が起きないように、対処しやすいようにしてある。またそれはティックトックでも実行していたことだ。最近、会社を2つに分割するまで、中国とそれ以外の国々の間には別のファイアウォールが建てられていて、ティックトックの機能の大多数はドウインから登用され、中国のコーディング（暗号化を行う）チームによって開発された。

ほかの企業と何が違っているかというと、ITの分野を制圧していく中国中心の企業の実力よりも地政学的偏見のゆえに、漠然とした不快感があるということだ。バイトダンスがやろうとしていることは、ほかのいかなる企業とも違いはない。ただ、どこに基盤を置いているのか、事業を行っているのはどんなシステムの政府の下なのかということにおいて違いがある。恐怖は、あなたが論争のどちら側にいるかによって、つまり外国人恐怖症によるものか、あるいは中国国家の権利と目標に関する正当性によるもので焚きつけられる。バイトダンスとは、地球全体でソフトパワーを発揮するための中国のひそかな試みだろうか？　お気に入りのポップミュージックに合わせて踊る日焼けしたティーンエイジャーの外見の下に、データを抽出しようという試みがあるのか？　あるいはただ単に、会社がブランドを作り、ビジネスを強化しようとしているだけなのかもしれない。共産主義とは関係なく、私たちが資本主義の大成功例として、アメリカンサクセスの例として、また自由市場での好例として挙げている、グーグルやアップルやフェイスブックのようなものと同じ競技場に入ろうとしているのか？

はたしてジャン・イーミンは中国国家の操り人形なのか？　国家の要求に脅され、あるいは喜んでデータを譲渡し、アプリを巧妙に作ってはいるが、その背後には一連の製品を提供するより大きな会社があって、それは西側諸国における中国の認識を変えるべく、中国が圧倒的なスーパーパワーをもつように企んでいるのか？　それとも、彼は小さな町の夢見る人で、ビジネスでの成功がもてはやされているアメリカ人の伝記をとことん読んで得たビッグアイデアをもっているのか？　世界をよりハッピーなところにしようとして、その過程で、自身も大金持ちになろうとしている人物なのか？

おもにこういったところが、あなたの質問のすべてであろうか。イーミンのキャラクターをスケッチした伝記ならば、彼は前者というよりは後者として描かれるだろう。彼には非常に高い目標があり、先見の明があって幅広い視野があった。彼は境界内にいることや政治システムへの野心を抑圧しているような田舎で育ったにもかかわらず、それを突破し、世界に喜びをもたらした。しかしたいていの人々はそうはしないし、そうしようともしないし、それでいいと思っている。彼らには彼ら自身の感情がある。公衆の感情は私のスタンスに同意しない。今日では67％のアメリカ人は中国に対して冷淡に思っているが、それは2018年の46％から増加し続けている。つまり、多くの人々に幸せをもたらしている中国生まれのアプリ、ティックトックの使用がアメリカで上昇していることと比例しているのだ。ティックトックは愛されているのに、中国は……という事態が起きている。

強く感じるのは、ティックトックの、そしてそれを運営しているバイトダンスの、未来への道がなぜそんなにも問題なのかということだ。というのは、このアプリの成功か失敗かの分岐が地球の未来におけるパワーバランスを決定づける一つのテストになったからである。そして論争のいずれの側の主張も自分たちの思想を徹底的に守ろうとしている。というのは、彼らはそれを、自由経済を弱めるもの、あるいは現状維持という致命的な危機と見なし、ここ70年余は避けようとしてきた世界に陥るかもしれないと見ているからである。

32

アメリカでの反対運動の高まり

ジャン・イーミンとアレックス・ジューが2010年代半ばにショート動画共有アプリを立ち上げたときに知ることができなかったのは、アプリの人気が東西間の緊張を増大させたことだろう。多くの面で、ティックトックをめぐる騒動は次の25年間のテクノロジー分野の未来について、また誰がそれを支配するかについてばかりではなく、「世界」の未来の方向についてのものでもあった。

中国の習近平主席は2013年、「一帯一路」を宣言した。それは、中国と諸国間の結びつきを強化することでより輝かしい未来をつくる方法だと、中国与党は考えている。しかし、他の国における中国懐疑主義者から見ると、それは中国がソフトパワーを行使する方法であり、グローバルコントロールの中心をワシントンとロンドンから北京に移そうとする方法である。

それは世界を横断して、さまざまなレベルで実行された問題である。中国とインドとの境界線上の小競り合いでは、軍隊が境界線を越えて、他国のテリトリーを横切り始めた。中国製テクノロジーをキー・コミュニケーション・システムに統合することを恐れて、他国の政府はファーウェイの5G通信ネットワークを許すかどうか、あるいはこの会社の監視を制限するかどうかについて、回りくどい議論を行っていた。中国とアメリカの関税闘争においても、中国を片付けたかった好戦的なアメリカ大統領は世界最高位のリーダーとして、その中国企業に関係を切ると脅した。

事実ティックトックは、ドナルド・トランプがそのアプリを嫌いになるはるか前から、アメリカの権威者たちからマークされてきた。2017年と2018年の間のミュージカリーとの合併によってこのアプリに問題が生じ、子供のプライバシーを妨げたとして、アメリカ連邦取引委員会から570万ドルの罰金を言い渡された。しかし、中国に懐疑的なアメリカ上院議員であるチャールズ・シュメールとトム・コットンが初めて警鐘を鳴らしたのは、ユーザーのプライバシーをどのように守るのかということだった。

2019年10月、中国政府による西側ユーザーのデータ収集を諦めるよう要請した場合、ティックトックはノーという意向があるのかどうかを調べるようアメリカ合衆国国家情報長官のオフィスに上院議員らが要請したところ、超党派合意に達した。「中国の諜報、国家安全、サイバーセキュリティに関する法律があいまいに入り組んでいるため、中国の会社は中国共産党に管理されている諜報系の仕事を支持し、協力せざるをえない」と上院議員は書いている。「中国政府がデータあるいはほかの行動のために出した要望を、独立した裁判所が調べることなしには、中国の会社がその要望に不同意であるかどうかをアピールする法的手順は存在しない」とティックトックは否定し、現在に至るまで、中国政府にデータを手渡していない。

そこから事態は一変した。アメリカに投資をしている国際的企業を含めて、商取引を調べる対米外国投資委員会が上院議員の要請から1週間以内にティックトックによるミュージカリー買収について国家安全保障調査会が開かれた。

2019年12月までに、アメリカ海軍は安全上の不安があるとして、職員のティックトック使用を禁じた。

共和党のアメリカファーストの右翼と中国のタカ派によって煽られた合意は、ティックトックに対立するように成長している。曰く、そのアプリはよくない、その存在はアメリカの価値観にとって危険、というものだ。保守反動の共和党員で、自分自身をドナルド・トランプの精神的後継者と見込んでいるジョシュ・ホーリーはビッグテクノロジーをののしる本を書いて以来、アメリカ政府から公布されるいかなる法律でもティックトックを禁止する起草者となった。「ティックトックはアメリカにおける大きなセキュリティリスクである。だからこの国にその置き場所はない」と2020年3月、ホーリーはテーブルに請求書を提出しながら言った。

ワシントンの中国タカ派の間で、アメリカにおける反ティックトックキャンペーンは大きな勢いをもった。トランプ政権は議論にほとんど関わらないようにしていたが、それも莫大な数の大統領キャンペーンイベントのチケットをティックトックユーザーが購入しているにもかかわらず、実際には会場には現れない、という事態が起こるまでだった。自分のパブリックイメージが心配だった、悪名高い、怒りっぽいリーダーにとって、それは大きな侮辱であったが、この場合のティックトックの仕事は本来の役割と関係がなかった。

2020年7月6日、インドが58の中国製アプリをティックトックとともに禁止すると発表した日の1週間後、アメリカ国務長官マイク・ポンペオが、ローラ・イングラムが司会を務めるフォックスのニュース番組『イングラムのアングル』に登場した。

ポンペオは国務長官になる前は1年ちょっとCIA長官を務めており、番組のインタビューでは多くの話題に答えていたが、最後あたりになってイングラムに尋ねられたのは、インドの禁止とオーストラリアの懸念を考慮に入れると、アメリカはティックトックの禁止を今すぐ、今夜にも考えるべきかどうか、ということであった。

「たしかにわれわれはそれを検討しています」とポンペオは返し、共和党を支持するフォックス・ニュースの識者に国民の安全性が最も重要であると保証しながら、「大統領の前で報告したくはありませんが、それはわれわれが調べているものです」と付け加えた。

イングラムはインタビューを終えようとしながら、なにかもっと欲しがった。「そのアプリをスマホに今夜、明日、今の今でも、ダウンロードするのをおすすめですか?」と彼女は尋ねた。ポンペオはこう応じた。「あなたのプライベート情報を中国共産党に委ねたいのであればね」

その発言には共和党は歓喜し、ティックトック流行の基盤を打ち立てようとしてきた人々を戦慄させた。彼らの多くはまた、トランプを支持するアメリカ人だった。趣味を同じくする人たちで話し合う2つの流行のアプリ、テレグラムとディスコードでのグループチャットで、ティックトッカーたちは即座に禁止になることを心配した。トランプが別のテレビ番組のインタビューで、アメリカはティックトックの全面的な事業停止をじっくり考えているところだと認めたとき、不安はさらに増した。彼らはインドでのアプリ禁止の間、生計の手段とエンタテインメントのはけ口を失ったことを見てきたので、そうなるのではないかと心配したのだ。

ティックトックのクリエイターらを企業内で支えている人々は、タレントや、エージェント、マネジャーからのメールが殺到していることに気がついた。彼らはそのアプリの視聴者であることをやめて、アメリカの別のアプリに乗り換えるべきか？　アプリは実際に削除すべきか？　そして一部では不安よりも怒りが大きかった。彼らは大統領の声明と長官のそれを見ていた。もしも中国共産党と連携しているのが本当なら、彼らはまだそのアプリをサポートしているはず？しかし、どうやってサポートすることができるのか？

そういった心配が悪化したのは、7月10日、ロンドン時間午後5時16分、アマゾンの従業員50万人にメールがビューンと届いたときだった。その件名は？　「要対応：7月10日までに必ずティックトックを消去すること」。「ハロー」でそのメールは始まる。「安全性にリスクがあるため、ティックトックはアマゾンのメールにアクセスできる携帯電話ではすでに許可されていない。もしあなたの携帯電話にティックトックがある場合は7月10日までに削除し、メールにはアクセスしないこと。この時点で、デスクトップブラウザからティックトックを使用することは許可される」

このメールはちょうどアメリカ西海岸のアマゾンスタッフが起きているときに届いた。ランチタイムのあとからほどなく、ソーシャルメディアの嵐が吹き荒れたあと、なぜシリコンバレーのビッグビーストの一角が新しい中国テクノロジーの侵入についてのあのような決定的情報を得られたのか、ものごとは奇妙になる一方だ。「今朝の一部従業員へのメールは間違って送られたものです」とアマゾンのスポークスマンがおどおどと記者らに話す。「ティックトックに関しましては、今現在、何の変更もありません」

そのあと、ドナルド・トランプはみんなを驚かせたのであった。

33

ドナルド・トランプ氏の大統領令

2020年7月末、フロリダのキャンペーン集会へ行く途中で記者団と会うため、ドナルド・トランプを乗せたエアフォースワンは飛行中だった。大統領はその日の早朝、ワシントンDCを飛び立ったが、彼を見送りに集まったメディアに短いメッセージを与えた。彼にはティックトックを禁止する心積もりがあった。しかし、これぞドナルド・トランプ。言うことと行うことが別物だ。誰にでも、真実であるかのようにウソが流れ出てくる。彼が本気で言っているとは、実際は、誰も思っていない。彼はティックトックのことばかりを追いかけるのに飽き飽きしていて、何かほかのものに前進したかった。

マジ本気になるまでは。

それは7月31日の夜遅くのこと、トランプは従ってきた報道記者らが集まる後部席に入ってきた。ものごとをはっきりさせたかったのだ。彼は怒鳴り散らしたりはしない。「ティックトックに関するかぎり、アメリカでは使用禁止にしようとしているところだ」と彼は言った。「私にはその権威がある。大統領令で、処理できるだろう」と付け加えて、また、もし必要なら、国際緊急経済権限法を使うこともできると言った。

ほんの数語で、トランプは1億人のアメリカ人に人気があるエンタテインメントの選択肢を禁じようと計画したのである。２０２０年8月の大統領令は、ティックトックに、アメリカのパートナーに売却しない限り、45日後に禁止するとした。中国の国家ニュースサービスでは、(これは中国政府の声であると広く信じられてきたが)、「汚くて、アンフェアで、弱い者いじめと強奪に基づく」ティックトックの強要された叩き売り、と呼んだ。そうこうしているうちに、ティックトックのアメリカ弁護団は缶を道路に蹴り返すといったような戦略的ゲームをしている。つまり、目前に迫った大統領選挙が終わったあとの時点まで、アメリカ政府によるいかなる禁止物への賦課も延期するとしたのだ。この賭けは、もしもトランプが負けてしまえば、問題になるだろう。8月末、ティックトックとバイトダンス両社はちょうど3日前に、トランプと彼の商務省秘書官、ウイルバー・ロスに対して、そのアプリが違憲だと禁じようとしているとして訴訟を起こしていた。その訴訟は多くのティックトックの人たちが何か月もプライベートで言ってきたことを主張するものだ。つまり、トランプ政権は、数十年にわたって確立した規範があるにもかかわらず、対米外国投資委員会によるそのアプリに関する非政治的調査の結果を無視して、ティックトックに反する結論に至るように強要した、というものだ。

それはその週、トランプとティックトックとの2つ目の訴訟であった。カリフォルニア州のマウンテンビューにあるオフィスから離れた会社で働いていたテクニカル・プロダクト・マネジャーのパトリック・ライアンはトランプが出した大統領令のせいで、自分は仕事を失い、ティックトックは彼に法的に給与を支払うことができなくなるのではないか、と心配していた。事実、訴訟においてライアンが主張しているのは、正確には会社が彼に言ったことでもあるのだが、アメリカで雇用された従業員1500人に支払いをしたのなら、それは大統領令に違反することが懸念される、ということだ。2020年3月、グーグルからこの会社に加わったライアンにとっては大きな心配だった。それは、ティックトックの国内コミュニケーション・システムLarkに質問を投稿していた別の従業員にとっても同じだった。アメリカマネジングディレクターのバネッサ・パパスは将来を心配している従業員たちを安心させようと必死だった。

それからさらに大きなことが起きた。

8月末の発表だ。5月にティックトックの最高経営責任者として参加したばかりの、身だしなみのよい前ディズニー経営者であるケビン・メイヤーが会社を去るというのだ。メイヤーはこの地政学的状況は擁護できないものであると、従業員に別れを告げた手紙で語っている。「私にどんな企業構造の変化が求められるのか、私がサインして加わったこのグローバルな役割とは何を意味するのか、についておびただしい非難を受けてきた」。彼が5月に仕事を引き受けたとき、メイヤーはティックトック・アメリカの主席最高経営責任者、つまり事実上、中国外でそのアプリに関する統括責任者になるだけでなく、ティックトックの親会社であるバイトダンスの最高経営責任者になるものと期待していた。それは世界を支配しようかという2つの会社における世界一の役職であった。

3か月後、彼は、中国企業として本社オフィスとアメリカのそれとのあいだに壁を築こうとしているバイトダンスを離れた。責任者には自社の誰かを据えるといった中間管理者になっている未来が見えていた。たったの数か月で、想定していた管轄範囲がおよそ7億人のユーザーと数万人の従業員を監督するというところから、7分の1になってしまった。もうこりごりといった経験だった。それに、ティックトックに参加することは、彼にとって、ディズニーのトップになるまでの時間稼ぎにすぎない、と人が考えるのではという心配もあった。

イーミンはメイヤーの苦衷を認めて、こう言っている。「われわれが展開している政治環境のせいで、どのようなシナリオであっても、彼の仕事に大きな影響があることはよく理解している。しかも、彼がアメリカに基盤をおいていながらグローバルな役割を与えられたことを考慮に入れれば、なおさらだ」

契約社員は別として、会社の内部コミュニケーションシステムであるＬａｒｋでのぼやきは、中国国内では静かだったのに、他の国々の従業員においては遠慮がなかった。アメリカオフィスで雇用された従業員はそのニュースにあっけにとられていた。「それが理解できたときはショックでした」と信頼・安全管理のチームで働いていた一人は言った。

それはアメリカでは酷暑となった年、傘下にあるビジネスにおいては新たな打撃であった。だがティックトックは苦境を乗り越えながら将来を心配していたが、経営陣はビジネスを成功裏に進めていた。パンデミックの間にここまで急速に成長することは大変難しいが、経営者にとっては今や政治家のエゴをくすぐることが求められていた。２０２０年の下半期の間、トランプの大統領選挙における民主党の対立候補ジョー・バイデンは新型コロナウイルスのため、キャンペーンを中止した。トランプは対抗者を無視して、彼の失敗、つまりティックトックから目を逸らせるのに理想的なアイデアを思い付いた。真夏の５日間という期間内で、トランプのキャンペーンがフェイスブックやインスタグラムで「ティックトックはあなたをスパイしている」と主張している450以上の政治的広告を一斉に展開した。その期間に、中国軍服に身を包んだ兵士のイメージとともにまき散らされたメッセージは550万のアメリカ人に見られた。もし、ジョー・バイデンに選挙を戦うつもりがなかったなら、トランプはイーミンと徹底的に闘うつもりだった。

ティックトックおよびその経営陣は、たちまち多くのアメリカ人の敵ナンバーワンになった。8月、そのアプリの未来について噂が飛び交った。マイクロソフトはそのアプリを救済するために参加しようとしていたが、その会社のアメリカにおける経営権を買収するための取引は9月半ばまで閉ざされることになった。ある日、トランプはその取引に対する同意を与えるために現れたが、邪魔をした。ホワイトハウスの机の背後にある独立行政法人化令にサインをしようとしていたところ、大統領はティックトックとマイクロソフトの取引について質問された。「継続中」と、彼は法外な値段を強要するかのように何かを言った。「私はその価格の実質的な一部分は、アメリカ合衆国の財務省に入るべきだと言ったのだ」と彼は家主とテナントの関係を持ち出し比較しながら、リポーターらに話した。分け前なしに、そしてアメリカ財務省が「大金」を得られることなしに、トランプはその取引にサインをしないだろう。その声明はすこぶる謎めいていて、数日後、ティックトックは訴訟を起こす一方、他の入札者がけんかに加わった。オラクルである。背広を着たビジネスパーソンのほうがよく知っているソフトウェアの会社で、その会長ラリー・エリソンは有名な共和党寄付者である。

9月までに、なぜトランプ陣営にキックバックを与えるのか疑問に思っているマイクロソフトとともに、オラクルはティックトック好みの売却先となった。オラクルとバイトダンスは取引を宣言したが、彼らは条件について互いに反駁し合った。オラクルはテキサスにおけるティックトックのアメリカ部門は完全に所有すると言い、スーパーマーケットを展開するウォルマートも取引の一部に入ると示唆した。ちょっと待てよ、と言ったのはバイトダンス。バイトダンスはティックトック・グローバルの80％はまだ所有していると考えていること、アメリカでの経営と中国以外の残りの世界での経営にもとどまることを示唆している。

トランプは幾分異なることを聞いてきた。アメリカ大統領によれば、ティックトックは5億ドルの教育ファンドに資金援助をすることになっていたようだが、それはバイトダンスにとっては初耳の驚きでしかなかった。

ティックトックはその法的行為で戦い続け、要求された事業の売却が命令に従っているとは思えないということに同意していた。ティックトックは何回も道路に缶を蹴り返した。繰り返されているにもかかわらず、とうとう、それは問題ですらなくなった。

11月、トランプは大統領選に敗北、1月には権力を失った。世界は覚醒し、この4年間は悪い夢の中にでもいたのかとわれに返った。しかし、ティックトック内部では、アメリカ政府との闘いに適切な理由をつけて終わりを告げる用意はできていなかったが、その行方は間もなく私たちにもわかることであった。

ティックトックは2021年4月、新たなCEOにシンガポール人のショウ・ジ・チュウを迎えた。おそらく最も賢明な差配であり、アプリの責任者らはこれでアメリカでの問題はほぼなくなったと感じていた。チュウの任命は、1年間吹き荒れた嵐のあとで船を落ち着かせようとする試みであった。彼が基盤を置いた場所がまた際立っていた。ティックトックは中国外部でのビジネスの起点をアメリカに置きたがっているように見えたが、トランプの敵意がそれを許さなかった。会社はどこにグローバルな本部を置くのか決めていないと言ったが、シンガポールに広大なオフィス空間を取得してあり、そこでの総人数はバイトプラスと呼ばれる新たなソフトウェア技術部門の人数も含めて増えつつある。

ティックトックの評判はトランプの攻撃によってダメージを受けたが、まだアメリカで生きながらえている。本書のための依頼で限定的に行われた世論調査によると、アメリカ人の3分の1は、ティックトックに国家安全性のリスクがあると考えている。10人中6人は、それは中国所有のアプリだと言い、半数は彼らの個人データを追おうとするためティックトックは信用しないと言い、半数は、ティックトックは中国政府と彼らのデータを共有しているのではないかと考えている。

では、いったいどれが真実だろう？

34

世界のデータから見えるアプリの現状

ティックトックに不信感をもつユーザーとティックトックを怖がる用心深い政治家は、巨大なデータの電気掃除機である。彼らが言うには、その恐怖とは、あなたに関する情報の最後の一片までがアプリの内外で集められ、その後、中国に送り返され加工されるというものだ。なぜなら個人情報を侵略的に追跡してきた西欧製アプリに関する大量の物語を知っているうえで、中国製アプリはもっとごまかしを使うことがありそうだ、という恐怖を増幅させているからだ。

ティックトックについて最も恐ろしいことがあるとすれば、その国で経営している会社の誰かの言いなりになって、その情報を中国に手渡すことが理論的には可能だということだろう。

西側諸国におけるティックトックの代表者は繰り返し、そのようなデータを手渡すように要求されたこともなければ、もし求められたとしても従うことはないと主張している。中国ウオッチャーが心配しているのは、あいまいな要求というよりは、データを見たいという中国の要望が会話として誤って伝えられているのではないかということだ。

それでもティックトックが個々の西側諸国のユーザーの個々のデータを中国の権威者に手渡してきた、あるいは手渡すだろうという証拠はなく、アプリの暗号についてサイバーセキュリティーのエキスパートが繰り返し行った分析結果でも、幸せなことに私たちが日常使用しているアプリのユーザーから集めたデータの種類や量を区別化するようなものはほとんどなかった。

また、ティーンエイジャーが何の歌に合わせて踊っているのかとスパイが目を凝らしている危険、あるいは個々のユーザーがアプリを使用したからといって、その他の情報がわかってしまうという危険もないように思える。国家の安全性レベルの情報あるいは東側と西側の関係に関する情報が、郊外のアメリカのティーンエイジャーのベッドルームを1回でせいぜい60秒間見たからといって集まることはほとんどない（とはいえ、あなたたちが西側諸国の政治家の10代の子供たちについて話しているとき、その何人かはアプリを使い、結果としてリスクがあるかもしれないのは事実である。たとえば、ティックトックに精通しているジャーナリストたちはイギリスの新型コロナウイルスに対する計画や主要閣僚の健康福祉状態について、保守党政治家のマイケル・ゴーブの娘をアプリでフォローすることで知っていた）。われわれの使っている機器類をハッキングするのに役に立つもの、つまり個人的な情報、たとえば銀行の計算書やウェブの閲覧歴、個人的コミュニケーションはティックトックでは追跡することも、集めることもできない。

ユーザーのデータをティックトックが使用しているのではないか、ということに関する議論は、より広い背景からなされるべきだ。西側は中国の台頭を心配し、とりわけその技術が西側で使用されることが気がかりであるという背景があるわけだ。もしもこの一つのアプリが数十億の市民のあいだに多大な影響力をもっているなら、西欧風の考え方は吹き飛ぶ可能性もある。２０２０年前半、インドで広がったティックトックをボイコットする国を挙げたキャンペーンの熱狂ぶりを見たが、ちょうど同じころ、インド軍と中国軍の間でヒマラヤにおける係争中の国境をめぐって1か月間の行きづまりが生じ、流血にまで至ったことを記憶しておくのも価値があろう。このキャンペーンのおかげで、アップルストアにおけるティックトックの星評価は、数百万のネガティブ評価を受けたあと、星1.2へと大敗した。ダウンロード数に基づいて決まる、アップルストアにおける位置は著しく下がったのだった（とうとうグーグルは、故意に投稿されたと思われる星1つという８００万の評価を除去した）。

そう、やはり、トランプの反ティックトック・キャンペーンを見ても、経済を再生させるという彼の思惑がはずれたあとで、敵を悪魔化して見せるといった方法で彼の大統領再選のチャンスを高めようとしたのであって、何かデータに危険があったという証拠があったわけではない。おそらくティックトックはここ数十年の世界の未来を定義しようと取りかかったように見える大国間の戦いにおいて、「だまされやすい男」になってしまった。２０１０年、アメリカと中国の関係がより親密なものになったとき、より慎重に言葉を選ぶ一人の大統領の指示によって、アメリカにおける対米外国投資委員会は93件の内部投資取引を調査したが、そのうち6件は中国からだった。２０１７年までに、委員会が調査を求められた取引は２３７件に上り、そこには中国の会社による60件が含まれていた。バラク・オバマ政権下での20件の調査のうち１件が中国系会社だったが、トランプの政権になると4件中１件となった。

中国系テクノロジーが台頭することへの憂慮はアメリカの国境に限定されたものではない。イギリスでも、ヨーロッパでも、オーストラリアでも以前から不安はあった。それらの政治家たちはファーウェイに自国の５Ｇネットワークにアクセスを許すことは心配であり、規制のないアクセスは断固として拒否したのである。それが、ヨーロッパ連合がティックトックにおけるデータ処理の調査を開始した理由であり、バイトダンスの代表者がイギリスやオーストラリアの政治家の前に召喚され、政府とのつながりがあるのかと質問され、もしも肩をポンと叩かれてユーザーのデータを政府に渡すよう要求されたら、いったいどうするのかと尋ねられた理由だった。

中国の友人とは言い難いある西側諸国の高位政治家が、自分たち政治家はティックトックが中国政府の意を受けて作動するアプリだとは考えていない、と私に言った。しかし彼らが憂慮していたのは、人工知能で動く動画分析の使用がウイグルのイスラム教徒を追跡するのに使用されることを心配していた。「バイトダンスは善意から人々を迫害しているグループと取引があるのだ」と彼は私に言った。「それは問題だ。ティックトックではなくて、バイトダンスだがね」。政府関連および公衆ポリシーに関するティックトックのイギリスディレクターは親会社の代理で議会の公聴会に出席し、これらの主張に強く反論した。「私はこの申し立てをはっきりと否定することができます」とエリザベス・カンターは言った。「バイトダンス社および付属する施設はいかなる監視装置も製造、営業、配布しておりません。当社は監視に関するいかなる社員も在籍しておりません。したがってそういった申し立ては誤りです」

バイトダンスは高圧的な中国の一部というイメージから離れて、善良な会社員市民のほうへ舵を切りたいと思っている。ファーウェイの創始者であるレン・ツェンフェイは世界の5Gネットワークへの彼の会社のアクセスが引き起こした動揺を鎮めようとしてきた。そこで送信されるデータには、一部、国家安全性に重要なことではと思われたこともあって、ポジティブなキャンペーンにも参加しようとした。ファーウェイはアメリカの新型コロナウイルスに対する闘いにおいて、最悪の被害を受けたニューヨークにマスクや手袋、ガウンを寄付することで貢献した。それと同時に、西側最大の会社のいくつかでかつて働いたことがあり、イギリスビジネス界からも信頼され、よく名の知られた人物がイギリスの主要メンバーに連なっている。

ティックトックとバイトダンスが新型コロナウイルスとの闘いをサポートすることで見せた派手な寄付決定は、ディズニーやその他優良企業から重役を雇用する傾向と同じような決断の仕方に見える。事実、外側から内を見てみると、目と耳を大地につけてみると、ティックトックの背後にある会社がまるで西側の政治家の要求を満足させようと自らが再考しているように見える。

市場の知識があって、国内チームの技術を高められる各国の重役を雇用することによって、ティックトックは北京と、世界中で使われているアプリとの距離をできるだけ置き、そのインパクトについて最も憂慮されている心配を鎮めようと動きだした。多くの決定は最終承認を得るために北京に戻すと見られていたが、それぞれの国内に留め置かれるようになってきた。

インサイダーらによれば、中国と各国のアプリを区別させる試みとして、従業員の内部データは北京従業員からのアクセスを不正アクセスとして設定してきた。バイトダンスは中国とそれぞれの国との関係が、このアプリが西欧のユーザーのデータを中国共産党のために吸い取る策略だと信じている人たちにとって問題になるかもしれないと予想していた。だから、誰も情報が中国に移送されていると言わないように、黙々と働いていた。「会社にとっての戦略とは、常に中国で起きていることをそれ以外の国から分離することでした」とある重役は私に説明した。「いかなるユーザーのデータも中国政府に移送されることはないし、もし求められても、いかなるデータも移送されない」とティックトックのイギリスおよびアメリカのトップは明確にしてきた。ヨーロッパおよびアメリカのユーザーのデータはシンガポールでバックアップをとり、バージニアのデータセンターで保管する。ヨーロッパユーザーのデータは２０２２年にオープンしたデータセンターのあるダブリンへと送られる。

とはいえ、国際的なテクノロジー企業については、必ずしもすべてが常にはっきりしているとは限らない。現実には、明確に身元が確認できるユーザーのデータは中国に移送されないが、外部のサードパーティーは喜んで参入し、アクセスがないことを証明するためデータの流れを分析し、一部のデータはバイトダンスの本社に送り返される。２人のティックトック従業員たちは、それぞれ別の部署で働いていたのだが、私に話してくれたところ、２０２０年に別々の状況で、一部のデータが中国のバイトダンスエンジニアに向かって送られたのだという。それは２０２０年８月に公開されたブログで会社が確認したものだが、あまり注目は浴びなかったようだ。それは、中国のエンジニアにとっては、当然一部のデータにアクセス可能だが、高度にコントロールされた状況下でされなければならない、という内容だった。

そのエンジニアらは、故意に個人的データを不正流用しようとしたのではない。しかしそれにもかかわらず、彼らはデータにアクセスしている。彼らがそうしたのは、ボットアタックのようにものごとを監査するために、また彼らがコード化したアルゴリズムが意図したとおりに機能しているかどうかをチェックするためであった。そこに何らかのアクセスはあるが、サードパーティーに何も起こらなかったことをつぶさに観察するために実施されている、と私は説明を受けた。ローランド・クルティエは前アメリカ国防総省およびアメリカ退役軍人省の元メンバーにして、２０２０年4月よりティックトックのチーフセキュリティを務めているが、彼はユーザーデータへの会社のアクセスについてマネジメントプランを厳重に管理している。彼は、「われわれには随所に、厳しいセキュリティコントロール、データ防衛、アクセス保証の技術がありま す。数か所には暗号化も行っています」。従業員のなかには、自分の業務のために時間限定でデータにアクセスできる者もいるが、その後そのアクセス権は無効になる。それでも私は２０１6年6月に、クルティエに何人のバイトダンス従業員がデータにアクセスできるのかと尋ねたが、彼は口を開こうとしなかった。それは、10万人強の勤勉な従業員のうちの数十人、数百人、それとも数万人なのかどうかといった質問だったのだが。

別の従業員が私に語ったところでは、個人を特定できるデータも含めて、西側諸国から集まったユーザーのデータは、バイトダンスの内部メッセージング・システム「Ｌａｒｋ」、中国名Ｆｅｉｓｈｕ（少なくともこのサービスの一部は中国に基盤がある）を用いるティックトックあたりでシェアされているスプレッドシートに通常移送される。それに、私たちが遂行しようとしているものには、つじつまの合わない文書がたくさんあります。それに、私たちは必ずしもポリシーをもっているわけではないのです」と彼らは言う。

このように大掛かりな詐欺はないものの、その代わり、小さな罪のないウソはあるかもしれないということだ。なぜそのようなことが起こるのかは理解しうる。ティックトックが現実に対応するには、あまりにも地政学的状況が張りつめているため、データの一部が中国に行くことを認めるのは、（これまで）あいまいにして、厳重に管理しているとしても、そこがその企業の基地があるところだからである。そして、論争の嵐を爆発させる危険がある。

とはいえ、ときには、フェイスブックばかりかバイトダンスのような大ＩＴ企業によるユーザーデータの取り扱い方について、理にかなった質問がある。データがハッキングされたことがない、というケースが以前にあったのだ。そのデータは、会社のセキュリティシステムを不正に破って、おそらく悪意のある理由から手に入れたもののようだが、アクセスできる情報からすり取ったもので、インターネットの隅っこに捨てられていた。そのようなすり取ったものにティックトックの兄弟会社ドウインが含まれていた（ティックトックが影響を受けたという証拠はない）。これまで本書の発行以前に、このことが報告されたことはない。

ドウインの47万9000人のユーザーから得た個人情報を年数でさかのぼると、公然とアクセス可能なコンピューターサーバーが見つかり、2020年、私のところに手渡された。ユーザーのなかには、少なくとも89人がイギリス在住で、287人がアメリカ在住だった。

そのデータには誕生日とか住所など、個人を特定できる情報（PⅡ）が含まれている。そのような情報はユーザーによってドウインに自由に提供されるが、ユーザープロフィールでは一般に表示されない。そのような情報は明らかにクレジットカードの詳細とかパスワードといった、詐欺集団に使われる可能性があるような最重要なものではない。それであっても、ユーザーのなかには、自分のプロフィールには表示されていない情報がどこを見ればいいか知っているウェブユーザーなら、いっせいに入手できるようになっていることにびっくりするだろう。

たとえば、イギリスドウインの不幸な出来事のうち、一人は1995年生まれの若い中国人女性だったが、彼女のプロフィールの写真はけばけばしい真っ赤な口紅を唇にさし、人目を引く前髪で、頭にはドラマチックな白いフードをかぶっていた。ドウインは彼女の住所をイギリス、特にロンドンと特定していた。彼女の性別は女性と記録され、そのデータでは、彼女はクリエイターというより消費者だとあった。彼女がアップした動画はたったの3つだったが、そのアプリで合計６９２６の「いいね」がついていた。

彼女はそんな多数のなかの一人である（私はピンポイントで個人ユーザーを特定するユーザー名のような情報は与えていない）。アメリカでは、アニメ風アバターをしてカリフォルニア州のグレンデールに住む20歳とした。その時、そのデータはパブリックなサーバーに投稿したが、それには２９３０人のフォロワーがいて、また彼らのフォロワー２８７１人がいた。バイトダンスでの人気順位は27だった。ところが彼らはドウインのパワーユーザーだったので、トータルで８万３０００の「いいね」がついた。

私は本書のために、バイトダンスにドウインユーザーの選別の詳細について話を持ちかけた。だが、会社は丁重にコメントを辞退してきた。

第7部

ティックトックの未来

35

絶え間ない競争と対立

未経験者に尋ねてみよう。すると彼らは、ティックトックがツイッター所有のショート動画アプリ「ヴァイン」の、コンセプトとしても本当の意味での後継者だと言うだろう（ヴァインはクリエイターであるドン・ホフマンが3年間の活動休止のあとで開発したショートアプリ。2019年のクリスマスに公表された）。とはいえ、ヴァインが歩いていたところを、ティックトックは突っ走ったのだが、バイトダンスの多くの競合相手はティックトックの成功にスポットライトを当て、もうけの分け前を欲しがっている。

それが2018年11月にフェイスブックが同じくショート動画共有アプリ「Lasso」を手放した理由である。それはまたおそらくフェイスブックが2020年5月に再び「Colla b」と呼ばれる、ティックトックの審美眼をたっぷり拝借した別のアプリを試そうとした理由でもある。そして同じ月にアップルストアに「Ｚｙｎｎ」と呼ばれる珍しい動画アプリが押し寄せた理由でもあろう。サブタイトルが「自分にプレゼントを贈る楽しい方法」で、Ｚｙｎｎは薄気味悪いほどティックトックに似ている。自分のゲームをバイトダンスで遊ぶという点を除いては。それはユーザーに支払いをする。アプリを開くと、包装されたプレゼントの絵がスクリーンのボタンのところに突然現れ、５００ポイントが与えられる。それはアプリ内通貨で、お金に換金することもできる。1ポイントは1ドルの1万分の1ドル。しかし、売りに出すと、より大きなキャッシュの報酬がもらえる。そのアプリのダウンロードを友人にすすめるためにＺｙｎｎのコンテンツを使うと、アカウントに6ドルが入ってくる。友人らがそのコンテンツで2日間遊ぶと、さらに2ドルが入金される。

Ｚｙｎｎは０ｗｌｉｉと呼ばれる会社が所有しているが、それはクワイショウという中国の企業が購入したものだ。その企業のアプリＫｗａｉは中国におけるドウインの最大の競合会社であった。ドウインには中国で毎日ログインする6億人のユーザーがいるが、Ｋｗａｉは4億８０００万人になると主張している。ドウインがティックトックを生み出したように、ｋｗａｉがＺｙｎｎを生み出した。「Ｚｙｎｎは北アメリカ市場用にわれわれが開発した製品です」とＯｗｌ iiのスポークスマンはテクノロジーサイト「The Information」で話している。そして戦いという意味で、Owliiはバイトダンスと戦うつもりであった。そのスポークスマンは「われわれはショート動画人気がまだまだ続くと確信しています」と付け加えた。

この脅しは中身のないものではない。バイトダンスは莫大な準備金があったが、クワイショウにもまた十分な資金提供者がいた。それは2019年12月の時点で20億ドルに上るが、その何人かの投資家には、中国でバイトダンスが競合しているテンセントが含まれる。クワイショウは2019年2月、香港で新規株式公開し、同社は1800億ドルと評価された。

クワイショウとバイトダンスはユーザーの争奪戦に巻き込まれ、巧妙な戦術を駆使してユーザーを奪い合っていた。そして、それはアメリカでZynnが採用していた課金モデルに結実した。しばしばそのような激しい争いは、最後には法廷に持ち込まれる。テンセントはかつて、著作権を侵害し、不公平な競争を展開したとしてバイトダンスを訴えたことがあった。グーグルの中国版であるバイドゥもまた、トウティアオを宣伝するために検索結果に「露骨に干渉した」としてバイトダンスを訴えたのだ。そして、クワイショウとバイトダンスはさまざまな理由から、法廷で争ってきた。2020年3月、バイトダンスは北京の最高裁判所に、クワイショウがアプリストアで検索エンジンの結果を弄んでいて、人々がバイトダンスのアプリを探しているときに自社のアプリを表示していると主張して、自分らに有利な判決を下すよう請願した。一方で、クワイショウはバイトダンスを北京の法廷に引き出したのだが、その言い分は、中国のアプリストアで誰かがクワイショウで検索したときの結果をハイジャックして、その代わりにバイトダンスアプリをダウンロードする機会を提供しているというものだ。それは「アンフェアな競争である」とクワイショウは主張し、バイトダンスはその賠償金として500万元、約70万ドルを支払うべきだと主張した。

同胞である中国の競合会社より、西側におけるティックトックの未来にさらなるダメージを与えるのは、アメリカにベースを置くライバル2社である。うち1社はティックトックを追いかけて踵に噛みつかんばかりだが、もう1社は巨大なユーザーベースをもち、そのアプリの上に高くそびえている。

ショート動画アプリ「Triller」はスタイルそのものがティックトックに似ている。そのアプリは情熱的なレストラン経営者にしてシリアルテック社の創始者であるマイク・ルーによって設立された。大物ミュージシャンがTrillerに資本参加し、そこで音楽を合法的に使用する権利を提供したのだ。それこそティックトックが長い間、格闘してきた問題である。ティックトックの禁止という噂が次から次へと広がっていたとき、TrillerはタレントXエンタテインメントの共同創業者のジョシュ・リチャードなど何人かの主要なティックトッカーと会社幹部の契約を交わした。彼らはノア・ベックのような、ソーシャルメディアの評判に方向転換した才能あるサッカー選手もクリエイターとして連れてきた。リチャードは、アメリカその他の国々の政府がティックトックを憂慮していることを把握したあとでＴｒｉｌｌｅｒに参加したのだと言い、入社のサインをした。しかし、彼もベックもともかくティックトックに投稿し続けた。

Ｔｒｉｌｌｅｒはたしかにティックトック騒動を自分のいいようにした。結果的に世界50か国以上のアプリストアランキングで最上位になり、２０２０年8月上旬にはドイツのアプリストアの５５９か所でランキングが上昇した。会社の公表するところでは、１週間でダウンロード数が20倍に増え、２億５０００万ダウンロード数となったということだ。この数字は、訴訟の問題が片付くまで、サードパーティーのモニターによって検索されたものだ。同時に会社は、アプリをダウンロードした人たちのうち６５００万人が月間アクティブユーザーであり、それはティックトックのほぼ10％だと主張している。

Ｔｒｉｌｌｅｒはこれがティックトックに代わる自国アプリだと必死に説明していた。２０２１年6月、その会社を50億ドルと見積もって投資を求める、最初のオファーが出された。しかし、それは、ティックトックがどん底にあるとき、すでに市場に参入していたその巨大なクジラに比べれば、まだ小さな魚だった。

マーク・ザッカーバーグは、かつてフェイスブックの従業員にティックトックは国境の外側に達する最初の中国のサクセスストーリーになると話し、それから1年ほど、ティックトックの成功について警告を出し続けていた。彼はLassoを試みたが、あまりうまくいかず、彼が開発した別のアプリがかなりいいのではないかと望みをかけていた。インスタグラムのリールである。

リールにはおそらく賛否両論あっただろう。ティックトックにとても似ていたからだ。その発売はちょうどトランプがティックトック禁止を声高に叫んでいたときだった。このフェイスブックの創業者は2019年10月にホワイトハウスでトランプとプライベートでディナーを楽しんだのだが、報道によると、そのときザッカーバーグは、中国の会社がアメリカ経済を脅かしていると主張した。それは上院議員との会合でザッカーバーグが繰り返し言っていることだと、『ウォールストリートジャーナル』は報じている。ちょうどこのころ、アメリカはティックトックに対して国家安全性の再調査を始めていた。

フェイスブックは、ティックトックに関するアメリカ政府の調査が激化している背景にザッカーバーグがいるという考えを否定し、国家の安全性への懸念がザッカーバーグだけの申し立てで形成されたなんて「ばかげている」と主張している。とはいえ、ザッカーバーグだけに責任があるとは誰も言っていない。フェイスブックとホワイトハウスは、ザッカーバーグとトランプが食事をとりながら何について話しあったのか、その公表を依然として拒んでいる。

そのため、インスタグラムのリールの発売に多くのトラブルは起きなかった。少なくとも、公には。「それを見たとき、誰もが褒め言葉を知っていたのだと思います」とティックトック・イギリスの社長であるリッチ・ウォーターワースは私に言った。「それに、私たちがずっとやってきた素晴らしいものを誰かがすべて複製しようとしてくれていること以上に称賛することがあるでしょうか？」。ウォーターワースはインスタグラムのリールがティックトックのダイナミズムを模倣することに手こずるだろうと確信していた。「私たちの心臓部にあるクリエイティブな精神をコピーすることはできませんし、それゆえ私たちはティックトックがどこに行きつくのか、確信もあり、興奮もしています。そして多くの人々が、いったい私たちが何をしたいと思っているのかに注目しているのかもしれません」。インスタグラムはティックトックの芝生に強引に押し入ろうとしている唯一の巨大テクノロジー企業ではない。ユーチューブもまた競合会社として、ユーチューブ・ショートと名乗りを上げたが、ティックトックと同じように1億ドルのクリエイター基金を設立した。

トランプとザッカーバーグの間で交わされた会話がどんな内容であれ、アメリカの意思決定者の耳元でささやいたのが誰にせよ、トランプがアメリカ人に、あるいは他の国々の人々にしなければならなかった質問は1つ、単純なことだった。つまり、この過去四半世紀、何兆ドルも稼ぐために、われわれのデータを勝手に利用して、市民の権利を踏み台にするのも厭わない姿勢を示してきたシリコンバレーの巨人たちの手に、あなたの未来を託したいだろうか？　それともすべてのデータを中国に手渡したいだろうか？

こういった討論はティックトックにおいて集中してきたが、オンライン動画の将来についてなされるべき、もっと大きな議論が必要である。今のところ、ティックトックはショート動画に集中している。60秒以内の動画で、移動中にもちょっとつまんで消費されるようにデザインされているものだ。とはいえ、それがバイトダンスの全体像ではない。２０２1年、ティックトックは、初期のユーチューブが長い動画のためにクリエイターにもっと余裕を与えようとしだしたのとまったく同じように、一部のクリエイターにビデオの上限を1分から3分に伸ばしはじめた。クリエイターらは3分間動画が彼らのエンゲージメントに及ぼすかもしれないインパクトを、またその結果としてティックトックのアルゴリズムがコンテンツを解析するかもしれないと心配したのだが、ティックトックのプロダクトマネジャー、マイケル・サチャポールには安心させる言葉があった。「異なる動画フォーマットでも、プロセスは同じように働くと思います」と彼は私に言った。「それはエンゲージメントに基づいたものになります」。つまり、いいね、コメント、シェアによって。

ドウインで特別流行っていることが証明され、ティックトックの主要コンテンツになろうとしているライブ配信と同様、バイトダンスグループから生まれた別のアプリが、西側における長編動画の現状に脅威を及ぼそうとしている。それは現在のところ、ユーチューブやネットフリックスによって圧倒されている。中国では、Xiguaビデオ（Watermelonとしても知られている）は成長株で、長編コンテンツに焦点を当てている。それはユーチューブユーザーの快活さに、ネットフリックスで絶賛されたコンテンツを結合させたものである。成長著しく、中国だけで1億2800万ものユーザーがいる。すでにイギリスのBBCとその会社最大の番組シリーズの放送の合意に達し、『ブルー・プラネット』のような人気の自然ドキュメントから、『ヘイ！ダギー』のような子供向けまでを放送する。

それがディープステート（アメリカでささやかれる闇の政府の陰謀）、あるいは単にテクノロジーの未来だと考えるかどうかだが、あらゆる証拠がそれはディープステートではないと指摘しているものの、ティックトックはテクノロジーの方向についてより広い討論に火をつけるべきである。もしウェブの最初の数十年間がアメリカモデルで精巧につくられていたら、未来では中国がテクノロジーと相互反応している様子がたくさん見られただろう。さまざまな形で。

ティックトックがアメリカにおける自らの未来を最も危険にさらしているころ、イギリス政府はティックトックの支持を得ようとうまく進めていた。ティックトックは、本社を置く場所について方向転換をしようとしていたが、ボリス・ジョンソン首相率いるイギリス政府はティックトックをロンドンに連れてこようと熱心だった。メッセージが出され、十番街の首相執務室とともに、国際貿易省とビジネス・エネルギー・産業戦略省は、ティックトックのグローバルビジネスをイギリスにもってこようと懸命だった。

新聞各紙は、文化およびビジネスに関わる省の公務員にティックトック本部をこの国にもってきたときの考えられる利益について伝えた。2020年3月、国際貿易省はティックトックの経営責任者らの支持を得るための任務が与えられた。彼らには、ロンドンのＰｗＣのしゃれた川沿いのオフィスで開かれた中国投資家とのディナーへの招待状が送られた。そこでは、招待状にあるように、北京のイギリス大使であるキャロライン・ウイルソンと親しく付き合うチャンスがあった。貿易省の投資長であるマイケル・チャールトンは、ティックトックのヨーロッパにおける2人のトップ経営責任者、エリザベス・カンターとリッチ・ウォーターワースへのメールで慎重さを欠いた。彼はウイルソンが中国に任命されたイギリス大使であることをうっかり漏らしたのだ。「しかしアポイントが中国によって正式に確認されるまでは、慎重な取り扱いをお願いしますよ」

ティックトックは慎重に扱った。しかし、イギリス政府が中国への大使が誰なのか中国の一企業にリークしたのなら、情報は長くは秘密にしておけない。とうとうティックトックはそのディナーに参加しなかったが、両者の接触は終わらなかった。会合は2020年4月27日に設定され、うまくいったようである。当時のティックトックのグローバルCEOアレックス・ジューは政府のトップネゴシエーターの誰かに電話口に招かれ、それから心のこもったメールがティックトックとイギリス政府の間で2020年6月まで続いた。それはちょうど、アメリカにおけるティックトック危機が最高潮に達しようかというときだった。

エリザベス・カンターは6月23日に始まった会合の90分後に急いでメールを書いた。彼女は「いつもより抑え気味」の会合になったことを詫びた。その態度は変わってしまったように見えた。7月まで、ウエストミンスターで発行されている新聞を見ると、イギリスにおけるティックトックの未来の計画を扱った新聞は隅のほうへと押しのけられていた。私と話したティックトックの内部情報者は、イギリスで本社をもつ可能性については話したがらず、その話題になりそうになると会話を変えた。噂と憶測、ただそれだけ、と彼らは言った。

しかし新聞はウエストミンスターで発行され続けた。会話があった。メールが交換された。環境は変わった、とにもかくにも。反中国感情がトランプのキャンペーンの際につくり上げられたばかりか、その残響が地球を横切り権力の回廊を抜けて反響していた。この物語は一つのアプリとその重要性から、現在と未来におけるテクノロジーのパワーバランスに関するディスカッションへと移行した。

36

創業者がCEOを退任した背景

38歳にして、ジャン・イーミンは欲しいものをすべて手に入れた。彼には夢がある。グーグルのようなボーダーレスの会社をつくりたかった。中国のビジネスパーソンとか起業家という限界の先を見据えた世界的な成功を得たかった。彼はシステムに入り込んで、国の一方的な命令に屈服することに満足しなかった。彼は、私たちが自分自身について知っている以上に私たちのことをよく知っている。そして私たちの欲望や興味に、ある意味、他の人もほとんどできないようなやり方で侵入するアルゴリズムのアプリを作り上げた。そしてそれはうまくいった。ティックトックはグローバルセンセーションとなり、ほとんどの起業家がそうありたいと思い描くような速さで成長していった。数年のうちに、それは所帯主名となり、文化的試金石となった。彼が創設した会社、バイトダンスは少なくとも１８００億ドルの価値がある（そして毎日のように価値は上がっている）。

しかしイーミンはデジタルの交渉の場に、買収者になるかもしれない人と向かいあって座り、アメリカとその中国恐怖症の最高司令官による圧力もかかる交渉に臨んだとき、彼の夢が一部悪夢になってしまったと考えたに違いない。新型コロナウイルスのため北京に足止めを食らって、彼は、15時間の時差で働きながら、会社の将来が崩壊から免れるように、かじ取りに努めていた。彼は、シリコンバレーが働いている時間帯には彼のアメリカビジネスのバイヤーから提示される選択肢について、合意に至るまでとことん論じ、徹夜し、その後は一日眠っていた。

彼はすべてのことを正しく行いたかったし、確かめなければならなかった。彼は、中国のインターネットが過酷で、きっちり管理されていることを知っていたので、自分が国際人であり世界各地を旅してまわるという外見にマッチした開放性を維持しながら、自分自身が賛同しないセンサーに気をつけながら、綱渡りの細いロープの上を歩いていこうとしていた。２０００年代終盤、彼は検閲に反抗して、中国インターネットモニタリング・エージェンシーに怒りのブログを投稿して、毒づいたことがある。「もしもあなたがインターネットをブロックするのであれば、私はブログを閉じるときに言いたいことを書きますよ」。それでも彼が理想化してやまなかったその国は、つまりインターネットの精神的ホームであり、活気に満ち、自立した、デジタル世界の管理者であるイーミンはここ（中国のインターネット界）に属することができないと言っていた。

彼は改心しようとし、徹底的な透明性を重んじ、ティックトックの権利を売ろうかと考えた。彼は怒りっぽいアメリカ大統領や中国のディープステートの取り扱い方を伝授してくれるなど、アメリカビジネスのやり方を熟知している、マイクロソフトの重役たちに連絡をとった。聞いたところでは、彼はマイクロソフトの会長ブラッド・スミスが書いた、マイクロソフトは世界を拓き変化させるテクノロジーとしてのモラルコンパスをいかにして保つかについて語った本をむさぼり読んだという。その分析に心奪われて、イーミンはバイトダンスの中国人従業員のために翻訳した『ツール・アンド・ウェポン』を読むように求めた。

しかし、それではまだ十分とは言えないかもしれない。

アメリカ大統領ジョー・バイデンが2020年に、ティックトックの投げ売りに至るようなパニックの連鎖の一つであるかのように大統領令にサインをした。ところが、トランプがサインをした大統領令とは違って、バイデンの書面はティックトックが直面させられていたぼんやりとした脅威を撤回するものだった。

ティックトック内部の人々は安堵の溜め息をつかなかった。バイデンはトランプの剛腕作戦を続けたくなかったのだが、その破棄は決して執行猶予ではなかった。それは次に何が起こるのかの警告であった。

ティックトックに消えてほしかったトランプと違って、バイデンはものごとを規則どおりに行うと約束した。彼は中国を信用しておらず、ティックトックやその他の中国製アプリに国家の安全性リスクがあるらしいと調査が行われるようなら、ティックトック、または動かぬ証拠が見つかったなら、明確な強い措置がとられることを確実にしておきたかったのだ。

トランプ政権下の脅威、そして２０２０年、法廷で監視を続けなかった脅威は、２０２１年には、より厳密な調査に置き換えられた。陳腐化するのではという脅威がまだティックトックにのしかかっている。おそらくは、明白に定義されることではないだろう。

バイデンが実感してトランプが実感しなかったこと、そして本書が説明しようとしていることとは、アメリカと中国の間にあるテクノロジーの優位性に関するより広い物語に、ティックトックがしっくりきたということだ。この戦いにどちらが勝利するかはともかく、勝ったほうが未来を勝ち取る。

こういった理由から、アメリカ大統領は中国を、２０２１年の真夏にコーンウォールで開催されたＧ７サミットの主要メンバーとした。「われわれはコンテストに参加しています」とバイデンはエアフォースワンのタラップに足をかける前に報道陣に話した。「目まぐるしく変化する21

世紀にあって、中国自体のことでなく、世界中の独裁者や独裁国家と、民主主義が競争していけるかどうかについて（が焦点）なのです」

もしもイーミンが自分の会社は十字砲火からはずれていると考えているなら、すぐにも訂正させられるだろう。アメリカサイドからだけではない。彼はまた中国国家をいらいらさせて監督されてもいるのだ。

ここ10年間ほど、イーミンは、中国共産党の気まぐれな権力と、アメリカにおけるトランプの散漫なアプローチを何とか凌ぎながら、その間ずっと寝室が4つあり、リビングルームには机を3列に並べたアパートからバイトダンスを育み、世界中で10万人以上を雇用するビジネスに育て上げた。

後者はテクノロジーの世界ではあまり人目を引かない。シリコンバレーは世界最大の会社の気取らない創業記における民間伝承に満ちている。早期のバイトダンス従業員は時々電気が切れる、イケアの家具がありさえすればラッキー、というアパートの一室でラップトップの上に背を丸めていた。初期のアマゾンでは机は間に合わせの脚の上にドアを転用したものだった。

しかし、中国という高度に管理された国、国が不適切とみなした人物やものごとを妨害するために直ちに権力が介入してくるような国においては、数十億円規模のビジネスを打ち立てる彼の能力はいっそう際立っている。進路を決められ、彼をビジネスから締め出そうという試みがある状況で、アメリカ政府の総力を打ち負かすことはありえないように思われる。

バイトダンスがというわけでなく、ティックトックは、数回つぶれそうになったことがある。インドでは生存をかけた戦いに負けてしまった。そして中国では以前、「内涵段子」（ジョーク共有アプリ）という、ユーザーがミームを共有できるシンプルなアプリのせいで危険にさらされた。

4年の間、そのアプリは成長し、ときに中国の行き過ぎた批判的社会をからかって、車のクラクションを使った暗号メッセージを発してはうるさがられて禁止処分という例外を除けば、比較的対価を払わないできた。しかし、2016年ライブ配信が導入され、それとともに、バイトダンスはプラットフォームでコンテンツを監視し、コントロールする能力を若干なくしていた。このプラットフォームは中国政府の警報センサーが鳴るギリギリのラインへ近づいていたが、とう一線を踏み出すようになってきた。そのため、国家の照準に入ってしまったのだった。

まず最初に30分のテレビのニュースで、アプリと野卑な内容について報道が2018年3月後半に国中に放送された。数日後、中国の行政機関である国家報道出版ラジオ映画テレビ局が「内涵段子はソーシャルモラルに違反した」と言って法令を発布した。それは是正措置の対象となるだろう。不吉な予感がする。

1日後、北京時間の午前4時、イーミンは、中国14億人のうちの10億人が使用していたソーシャルメディアプラットフォームであるウィーチャットの巨大な数のフォロアーに対してメッセージを投稿した。「私は、規制当局各位、そしてユーザーの皆さん、仕事仲間に心よりお詫び申し上げます」と彼は書いた。「昨日、規制当局より通知をいただいてから、良心の呵責と罪悪感でいっぱいになり、一睡もできません」。彼はここ数日間の行動を考えていた。「われわれの製品は道を誤り、内容は社会主義者の中核をなす価値観とは不釣り合いなものとなり、公衆の意見のガイダンスとはならなかったようです。そして、われわれが受けるべき懲罰は個人的に私に責任があります」

内涵段子は、中国共産党とアプリで見た内容に対する不快感による圧力がバイトダンスにかかり、強制的に閉鎖された。イーミンはミスを犯した。彼には共産主義政党の経済計画を支配することで、彼のアプリを史上最も早く成長させるチャンスがあったのだ。彼のエンジニアとしての経歴は会社を設立するエネルギーもリソースも投資させたのだが、「われわれはプラットフォームの管理を向上させる適切な手段をとらなかったし、卑劣なこと、暴力、有害な内容、フェイク広告のようなものを効果的に処理するという宿題をきちんとこなさなかったのです」。彼は過失を犯し、後悔に暮れた。彼はアプリの閉鎖を命令した監督機関に陳謝した。

「われわれは改善するべきでした。これからは、絶対に今よりよくなっていくつもりです」と彼は結んだ。「われわれの修正を監督するという意味で、社会のさまざまな分野からの助力を心よりお待ちしています。皆さんのご希望に沿えないようなことはありません」

後悔は効いた。バイトダンスとその製品は、自国中国からよりも、インド、パキスタン、アメリカ政府から持ち込まれる厄介ごとのほうが多かった。現在に至るも。

2021年5月末、バイトダンスの中国版ティックトック、ドウインは国家インターネット情報弁公室によって選び出された105のアプリのうちの一つになった。それらはユーザー情報の権利を侵害していると、「インターネット・ウォッチドッグス」に指摘されたものだ。われわれ西側諸国の人間はティックトックユーザーの情報が中国に送られることを心配しているが、その中国自体が、会社はどのようにして個人情報を扱うことができるかという制限を課すEU一般データ保護規則（GDPR）に追いつこうとしているところだ。中国取締官の包囲網に捕らえられたほかのアプリ同様、バイトダンスは訂正のための15日間を得られるか、あるいは処罰に直面する。

中国政府がドウインを厳しく取り締まろうとするちょうど2日前、イーミンはバイトダンスの従業員全員にメールを送った。「今年の年頭からずっと、私は多くの時間を経営の長期計画について考えてきました。それは安定した足場に頼ることではなく、増大していくこと、進歩していくことです」と彼は書いた。彼の同僚らは彼が自分自身に課したい、また全従業員にもそうするよう期待してきた四半期分の目標をアップデートしてこなかったことに気づいた。その答えは、なぜなら、期日に間に合わなかったからと彼は言った。

「長い間、私のオンラインの状態は〝空想にふけっている〟ようなものでした」と彼は書いている。「その意味は私がボケーッとしていたということではなく、むしろ人々が考えることは単なるファンタジーであるかもしれないという可能性を考えていたのです。過去3年間、ファンタジーのように思えた多くのことが現実になりました」

ところが会議となると、彼はボケーッとし始め、むしろ遅れずについていくのに苦労していた。2017年には、彼はソフトウェア・エンジニアたちの最新機械の発達についての話題についていくことができたが、2021年にはできなくなった。彼にはこれから読んでおくべき論文の長いリストができていた。問題は、他の問題が絶えず生ずることである。

落ちこぼれたからと彼を責める人はほとんどいなかった。前の12か月間では政府の法令のおかげで、バイトダンスは一夜にしてインドで2億人のユーザーを失うという体験をしたが、もう1億人を失うという恐れもあった。それを阻止しようという試みで、世界最大のテック企業との会合にイーミンを買収者として参加させた。これは派遣されたのではなかった。私やほかのジャーナリストたちが、毎回何をするのかわからないトランプの大騒ぎを追いかけているとき、従業員らから、ティックトックが誰の持ち物になるかを本当に知っているのは、イーミン彼自身であると聞いた。彼こそ、呼び出しに対応する一人の人である。

それと同時に、彼は数十億ドルの価値のある金をジェットコースターで運び続けようとし、1日に50万人の新たなユーザーを獲得していった。2018年1月、アプリはユーザーベースでミャンマーの人口に相当し、2020年10月までにはアメリカの人口の2倍以上となり、ドイツの分はスペアとして取っておかれた。これらの国々のリーダーたちは時々、この規模の人口を制御するのに苦労している。

それゆえ、彼が後ずさりをしたとしても不思議ではなかった。彼はバイトダンスCEOを置き換えるため、すでに後継者を厳選してあった。会社の共同創設者リアン・ルーボーである。彼は住宅街の一角に狭苦しいオフィスを構えるのを助けてくれた。「1日目からずっとルーボーはかけがえのないパートナーです。新しいシステムのために私の暗号化を完成させ、サーバーを購入してインストールし、主要な人材募集、企業のポリシー、管理体制の進展など、その貢献の数はあまりに多くて列挙することができないほどです」とイーミンは従業員に話した。彼は2021年の後半に、徐々に決定権を手渡そうとしている。会社の長期的未来を探索する時間を残しながら。

本質的に、イーミンは中国に対してはあまりに西欧人的であり、西欧に対してはあまりに中国人的すぎた。彼は自分を見失った。

けれどもティックトックは違う。

37

SNSをめぐる大国間の覇権争い

私たちはティックトックに注意を払う必要がある。

しかし、ただティックトックにだけではない。本書が、そのアプリを超えてバイトダンスにまで調査を広げた理由とは、そして今後数十年におけるテクノロジーの将来の方向性に関するデリケートな討論をするために、それが重要だからである。イーミンが初めてビジネスパーソンの伝記を読み始めて以来、彼はグーグルと肩を並べる多国籍企業をつくり上げようとしてきた。中国の権威や国際的な政治家が彼に課した束縛にもかかわらず、彼はそうすることを定めたのだ。ティックトックは足がかりとなり、そこからバイトダンスは多様化して拡大していく権力の座を得ている。

テクノロジーの未来、そしてカリフォルニアからの世界的権力の移行を理解するために、私たちはバイトダンスを、その野心を、その支配から生まれる落とし穴と可能性を理解する必要がある。私たちはティックトックをつくり出すハイテク文化を、そして世界中どこであっても采配を振るっている政治家がいて、その要求を遵守しなければならないことを認識している経営責任者の不安を理解する必要がある。

私たちはまたシリコンバレーの巨人たちを生み出したハイテク文化についても知る必要がある。そして、ティックトックのようなアプリの台頭が、コンテンツを監視する権威主義的な国家に生じたわけだが、なぜそのようなことが起こったのだろうか？　フェイスブック、ユーチューブ、ツイッターの成功は自由を擁護する自由放任主義者から生まれている。それは最小限の監視によって、いわゆる「ハイテクユニコーン」の成長を許した市場経済における自由放任主義の態度である。今日の政治的対立、共謀理論の受け入れ、フェイクニュースなど私たちが直面している問題の多くは気にしないでいい。ティックトックを生み出したのは正反対の環境である。

私たちは、これは単なるＳＮＳアプリとその未来以上のものであることを知っておく必要がある。私たちの情報はどこに行くのか、そしてどのように使われるのかについて、どんなことが考えられるのだろうか。

私たちは何年も費やして、中国と中国におけるハイテクの台頭を外国人として外側から見つめ、調べてきた。私たちの使う端末を中国産ハードウェアで充電するには何十年もかかった。しかし最初は、中国に根ざしたテクノロジーを庶民が毎日のように使える可能性を見ていた。会話は移り変わっていく。中国の会社は単に西欧から最新のテクノロジーをコピーしているのではないか、そしてもはやきちんと使えないような劣ったバージョンを製造しているのではないか、というジョークまで飛び交っていた。今や中国の会社といえば、バイトダンスやクワイショウやテンセントといった、革新を導く会社であり、フェイスブックやユーチューブ、インスタグラムがそれらをコピーしている。

「以前に話した物語は、中国が自身の「西欧版」デジタル製品を思いつくことについてでした」と言うのは、オーストラリアのニューサウスウェールズ大学で、アートとメディアに関する授業で講師をしているエレイン・ジンチャオである。「今日ではいかにして西欧のソーシャル・メディア・プラットフォームが中国のそれから学んでいるのか、移り変わりの物語をすでに知っているでしょう」。中国発祥のこのスーパーアプリはルールを書き換え、彼らのイメージで世界を形成しようとしている。

西欧の、名前は出さないよう要請された一人の有力な政治家によれば、リスクとは、情報の取り扱いででっち上げた恐怖のあまり、中国を追及する最も積極的な国々はグローバルインターネットを引き裂いているのかもしれない、ということだ。「もしわれわれが『フェイスブックやツイッターはどうなの?』という質問にうまい回答を見つけられなかったら、私たちは自分自身をひそかに傷つけることになるだろう」

ハイテクの未来の方向、そしてシリコンバレーの大手企業が計画した道をたどっていくか、あるいはもっと中国中心のものになるのか、それが問題である、とその政治家は言っている。「驚くべきことはソーシャルメディアがいかに私たちの生活の仕方を変えてしまったかということだ」と彼は言う。「多くの人にとって、フェイスブックはインターネットである。多くの人にとって、ニュースはツイッターだ。これらの会社が作り出すアルゴリズムはとてつもなく重要である。彼らがそれに付け足す情報ばかりでなく、たとえ彼らがわざとそうしなくとも、彼らがあなたに何を見せるのだろうか」。その政治家は明確である。ティックトックのアルゴリズムに悪意があるとか、故意に何かがあるなどとは考えておらず、世界中に中国のソフトパワーを押し付けようとしているだけだろう、と言っている。

これはリツイートに相当するソーシャルメディアではなく、ロシア政府が現実をつくり直そうという試みでも、中国の英語ニュースチャンネルに相当するものでもない。そうではなくて、ものごとはそれとなく変わる。

「こういったことはOSとISによって形作られるものかもしれないが、基本的にはあなたがしていることがあなたの考えとなる」。その政治家はこう言っている。「あなたがそれをコード化すると、家族とは何かについてあなたの考えをコード化していることになる」。フェイスブックでカジュアル・デートを再定義するには、ユーザーの関係性の選択に「複雑なんだ」というオプションを付け加えることで考えよう。そのことは最も批判的な文化も含めて、地球中に広まった。「もしもこれらのプラットフォームが、中国にベッドが多く備えられた部屋に生活する子供によってコード化されると、異なるノルマ（標準値、規範）にコード化されていく」と政治家は言った。「複雑なんだ」は実際問題ではない。問題になるのは、プライベートでいるとは何を意味するのか、プライベートの空間が何を意味するのか、知るのが許された国とか会社とは何かといった概念が問題になるのである。

それはティックトックがグーグルと同じように、ボーダーレスになろうとして取り組んできた何かである。しばしばそれは、そのアプリが回答しなければならなかった手ごわい質問、たとえば、身体障害や肥満をどう扱うかという問題、フェローザ・アジズのアカウントを停止して黙らせたことへの批難、さらには沈黙した女性と服を着たまま踊るその体へ異なるアプローチをしたことなどに見られる。それらのいずれもが、中国人の考え方が西欧風の論議の井戸に毒を入れて、高度に資本主義的な国家に共産党革命を起こすといった根深い心配ではない。ところが、ティックトックが進歩するごとに、より検閲的、より管理的、より用心深い現実に向かって少しずつ進んでいくのではないかという懸念がある。

もちろんティックトックは、そのアプリから中国産というレッテルを剥がすという痛みはあったし、通過した国のセンサーをうんざりさせたくないという慎重な態度もあった。2020年9月、それは狡猾なイギリス議会証言で脚光を浴びた挑戦である。ティックトックのヨーロッパ公衆ポリシーの責任者であるテオ・バートラムは次のように言った。「ティックトックは中国の外でのビジネスである。イギリスにおけるティックトックは皆さんと同じような心配と世界観を有するヨーロッパマネジメントチームによって運営されている」

ところがバートラムは、西欧の経営責任者たちが中国寄りという先入観を会社から取り除こうとしていることを認めた。「皆さんにご心配いただいていることを知っておりますし、それは中国の問題がわれわれに重くのしかかっているからだということも承知しております。私たちはほかの誰よりも高いレベルの透明性をお約束します。それというのも、私たちのプラットフォームが中国から何の影響も受けていないことを証明したいうえに、ここはLGBT社会、ボディ・ポジティビティ（プラスサイズの体をありのままに愛そうというムーブメント）の人々は大歓迎、彼らは守られ、祝福され、称賛されるでしょう」

38 結論

ここでは、私は罠をしかけ、オチを用意しておいた。劇的に決着へと方向転換していこう。さて、中国国家が統制している証拠とは何だろうか。

それはかなりの割合の人々がこのような本に求めていることであり、証拠を追求するために人々は何年も費やしてきた。しかし、現実はというと、私には不可能だ。私はジャーナリストであり、その仕事は真実を見出すことである。私は数大陸にわたる会社の変遷をその誕生からずっと見てきた情報源をティックトック内部にもっており、外部組織にも情報源がある。私の知る限りでは、ティックトックが西側の民主主義を侵略あるいは転覆させる試みの一部であるという考えを支持する証拠はない。

それは、そのような証拠をついには誰かが見つけることはない、と言っているのではない。また、ティックトックが人々の情報を処理する方法に、心強い反中タカ派が実行を思いとどまらせるような設計がなされていたという誤った特徴づけなどなかった、と言っているわけでもない。ティックトックは、数百万人の西欧人によってはるか遠くから活性化されるのを待っているようなソーシャルメディアではないのだ。

ある朝、チャーリー・ダミリオは現れず、ダンキン・コーヒーを下ろし、毛沢東の『小さな赤い本』(少なくとも学生時代まではそのタイトルだった)について布教活動を開始した。あなたがティックトックに多くの時間を使っているからといって、中国共産党のスパイになっているなんて、考える必要はない。

しかし、バイトダンスも、私たちを支配している文化的束縛も、見かけほど無害ではない。習近平に直接情報を送り付けることはないにしても、ティックトックが言い逃れで詳細の一部を公式文書等にして中国政府に送り、そこに含まれている情報が中国国家に伝わる恐れは理論的にありえることだからだ。その過程に、たとえバイトダンスは参加する意思がなくても。そして、ティックトックで最も人気のある西側諸国のユーザーが中国の主席を支持するのを見ることはないだろうが、コンテンツのモデレーション・ガイドラインにはまだ中国のコアが含まれているかもしれない。それは多くの人にとって心配事である。
だからといって、ティックトックのことを憂慮すべきだろうか？　それは現実的ではない。少なくとも、でっぷり肥満した首筋の血管が切れるくらい激怒した世界の政治家たちが示唆した意味ではない。習近平とジャン・イーミンのあいだに直通ラインはない。バイトダンスは中国国家の言いつけどおりにしようとはしていない。アメリカがロシアにあるマクドナルド店で共産主義を転覆させるための種を撒いたりしないように、西側の文化を侵略するためのカウボーイとしてティックトックというアプリを運営しているのではない。もしもそうなら、その存在が世界中の権力の座にいる人々を激怒させることになり、かなりまずいことになる。もしそうだとしても、私たちはそれに騙されるほど愚かではない。

とはいえ、ティックトックの成功がどんなに良性のものであったとしても、なかには不快に感じる人もいて、技術的に強化された未来の鋳型に嵌められようとしていることに、私たちは気づくべきである。私たちはシリコンバレーの億万長者に自分たちの生活をタダでやり、それでもって彼らが邪悪なことはしないと信用していた。そして今、シリコンバレーの億万長者に負けまいと考えている誰かに、また自分の生活をタダでくれてやっている。さらに将来は、私たちの生活を、彼らに続こうとする未来の中国の起業家に提供していることだってありうる。

結局イーミンは今や中国で5番目にリッチな起業家で、単独で推定540億ドルの資産がある。イーミンがゼネラル・エレクトリクスのジャック・ウェルチの伝記を読み、彼から学んだように、夢を抱いた若き中国の起業家がしばしば裏切りにも遭う狡猾な道を、中国における新規エンジニアとしての成功と、より大きな影響力や世界的見返りとの間を、イーミンはどうやって竿さしていったのか学ぶだろう。

ティックトックの台頭と、中国発祥の会社やその製品が世界的広がりを見せるなかで、私たちのテクノロジーの使い方にも変化（移行）が見られるだろう。中国のインターネットユーザーはモバイルファーストの利便性を重んじ、銀行の預金残高をアップデートすることから、友人と連絡を取り、また最近のエンタテインメント視聴までを行える、一つのスーパーアプリという考えを尊重するだろう。活気があり、急成長している経済を有している中国の消費者は、西側の人々よりもっとライブ配信のデジタルエンタテインメントを好む。それは、私たちが現在住んでいるところとは異なる世界である。そして私たちの生活を変えたのは、ティックトックだけではない。そのほかの中国の会社やアジアから来たほかの会社も、テクノロジーとの関係を築き直すことができた。「中国から起こったプラットフォームの論理は、今や西欧のエコシステムに広がっている」と言うのは、中国のソーシャルメディア・プラットフォームを研究しているフローニンゲン大学のジャン・リンである。

そしてリンはこれらのアプリや、彼らが開発したモデルやコミュニケーションの様式が、現在進行中の地政学的策略を差し引いたとしても、未来の青写真であると考えている。「ソーシャルメディア・プラットフォームでのビジネスについて話すなら、これからの数年の間により強く、より大きく育っていくと思います」と彼は言う。それらの中国でもっている強い基盤が足がかりとなって、彼らが国際的に拡大していく財政的な影響力を与える。そして彼らは中国政府の完全なサポートを得て、中国のインターネットをいっそうグローバル化しようとする。

「このような巨人はグローバルマーケットのパイの一切れでさえも手に入れたがることでしょう」とニューサウスウェールズ大学のエレイン・ジン・チャオは同意する。「私たちには、フェイスブックとグーグルがアジアマーケットの一片を競い合っているように見えますが、同時に、他国の巨人たちもアメリカ市場に入ろうとしています。それは非常に複雑な地勢なんです。もしグローバルな会社であるなら、異なる文化的テイストをもった異なる消費者に仕えるわけですから」

ところがそのような文化的テイストは、ティックトックの驚くべき台頭が示しているように、時間が経つにつれて一変させられることがある。それは無声であったところに声が与えられ、一部の本や、ミュージカル、音楽の復活がもたらされ、また同時に新しい世代のソーシャルメディアのスターたちが生まれた。スーパーマーケットの列に並んで、またビルのそばでダンスをするのが普通とされ、注意深く振り付けられたルーティンを学ぶことをある世代の人々に知らせた。私たちがいつもより多くの時間を、家にいたり、一人だったり、電話をして過ごすとき、社会が形作られる。ティックトック自身の世論調査によれば、ユーザーの4分の3は楽しもうと思ってティックトックに来るが、アプリを使ったあとは14%の人々が幸せになったと言っている。

これら当たり前のことは、より国際的な表現で書き直される。もしも私たちがこの変化に気づいて、その影響力を注意深く監視しさえすれば、ティックトックを公正に保ち、彼らの発言が彼らの行動と一致することを確認していれば、私たちは大きくて、しかし害のない変化を見られるかもしれない。中国のタカ派は国家侵略に関する心配事をずっと引き起こし続けることができる。私たちが受け入れられない新しい規範にまで遠くスリップしすぎないよう、番犬のように行動している。テクノロジーの未来に関する競争はまだ起きていて、多数の競合相手が存在している。それは歓迎すべき変化であり、アメリカのハイテク巨人たちが3周先んじていることは認めるとしても、私たちが彼らを信頼することで必ずしも注意深い調査が遅れるわけではなかった。

少なくとも、ティックトックの背後にいるバイトダンスの西側諸国に置いた支社を本部から区別しようと努力していることを考慮すると、中国からの競争は必ずしも悪いばかりではない。注意深く監視することで、中国ハイテクの最もよいところを、西欧が理想とする保証と安全性とに融合させる機会があるはずだ。そして新しい方針の下で私たちは働き、生活し、遊び方を拡大していける。これらのことと同様に、これまでになく部族的（対立的）時代にあって、時には玉虫色より、シロクロはっきりさせて生きる私たちには難しい「思いやり」が必要である。

私の希望は、本書を読むことで、現在私たちの目の前で起こっている激しい変化についてより柔軟な見解をもってほしいこと、それが私たちみんなにとって何を意味するのかについて、もっとニュアンスのある考え方をしてほしいということだ。しかし、それ以上に望むのは、ティーンエイジャーがダンスをしているだけのものと考えているこのアプリに注意を払って、これはいったい何なのか、つまり、社会の最も重要な改善要因なのか、あるいは来るべきハイテクの未来の前兆なのかを見てほしいのである。

謝辞

ゆっくりと動くのが出版なら、ソーシャルメディアは素早く動く。そのため、ほかのどんなアプリが成し遂げたよりも早く成長する地政学的避雷針に関する本を書くことが、パンデミックを計算に入れる前であっても、きわめて難しくなっている。Ｃａｎｂｕｒｙプレスのマーチン・ヒックマンは本書を完成させるまでの間、彼自身の健康と彼の会社に及ぼす新型コロナウイルスの影響と闘ってきた。このように一冊の本を「通常時」で出版することすら、十分厳しい仕事だったろう。改めて、マーチンにお礼申し上げたい。ゾーエ・アポストライドとリサ・マイレットは、ティックトックが一面を飾るトップニュースとなる前から、出版社へこの企画を売り込む手伝いをしてくれた。３人すべてに感謝申し上げる。

ティックトックの経営責任者やＰＲチームなどスタッフの方々には、本書のことやここ数年の報道されたことについてインタビューをするため、多くの主要メンバー諸氏に接触する機会を取り計らってもらった。お礼を言わないのは失礼というものだろう。特別な感謝を捧げたいのはリッチ・ウォーターワース。彼は、会社を取材する精鋭ジャーナリストたちに対応するハイテク担当重役よりも、一人のレポーターとしての私に長時間を割いてくださった。そうはいっても、私はまだイーミンと話したいし、ティックトックユーザー数を正式に知りたいと思っている。とりあえず、後者はほかの手段で何とかしよう。

感謝したいのは、本書のために私に話してくれた、数十人の現および元バイトダンスおよびティックトック従業員の方たちで、多くは新聞に話すつもりはないので、匿名である。本書は、そして私の報道は、あなた方に私を一人のジャーナリストとして信用いただけなかったなら、もっと不十分なものになっただろう。

私の前著以来、インターネット文化の報道が前進していると言えてうれしいのは、つまり、ティックトックについて私に記事を依頼し、その結果に感謝する編集者群が大きく育ってきているからである。特に支えてくれたのは『インサイダー（オンライン新聞）』ではショウナ・ゴッシュとジャック・ソマー。彼らは前年あるいはその前からティックトックの進展を報道することに価値を見出していた。ジャックは以前、人生の目標は少なくとも5冊の謝辞で言及されることだと言ったことがある。あなたはたった今、その1つを叶えた。

USCアネンバーグ（コミュニケーションとジャーナリズムの学校）では、ディビッド・クレイグは中国のクリエイター経済のさまざまなトピックについてわかりやすく説明してくれたばかりか、彼の産業界との接触は計り知れないほど貴重であることがわかった。彼の産業界に関する著作は実に読む価値がある。そのほか数えきれないほどたくさんのデジタル世界の人々が、私の報道を通して助けてくれた。あまりに多すぎてここに明記できない。

フレイザー・エリオットには、ティックトックの内部ばかりか、ユーチューブの内部に入る手助けをいただいたことに感謝する。すべてこれはあなたのおかげ。ゾーエ・グラットもまた2019年VidConロンドンでティックトックパネルに私を引き入れたからには一部非難されて当然である。（2人のおかげだ）両者を責めよう。

本を書き、パンデミックを生き残り、家で仕事を続け、終日、連日、パートナーと暮らすことは人によっては悪夢のようだが、私にとってはそうではない。ありがとう、アンジェリカ・ストローマイヤー、すべて君のおかげだ。

そして私の両親や祖父母に感謝。私の名前が印刷物に現れることに、彼らは少しずつ慣れている。あなたたちの犠牲と世話とサポートのおかげで私がある。彼らはまた少しずつ、私が書いている主題について物知りになっている。ありがたいことに、彼らのスマートフォン以前のモバイルにはティックトックは入らない。

訳者あとがき――世界は今、岐路に立っている

「中国がハイテク分野でこんなに進んでいるなんて、知らなかった」。これが、私が本書を読んだときの最初の印象です。

もちろん「ティックトック」という名前は知っていましたし、視聴したことはあったものの、このアプリの使い方や特徴以外について、特に、その開発や運営を行っている企業「バイトダンス」についてはほとんど知りませんでした。本書に関わるにあたって、バイトダンスについていろいろと調べましたが、この企業の経営などの実態や経営者に関する情報は、アプリのその知名度に比して驚くほど少ないものでした。

本書は、そんな謎に包まれたグローバルＩＴ企業の実態に迫ろうとするノンフィクションです。

ティックトックは、若者に人気のエンタメアプリという漠然としたイメージをもっていましたが、世界に目を向けると、今や１５０か国以上でダウンロードされ、ダウンロード数は累計35億

回を超え、月間アクティブユーザーは約10億人ともいわれています。ダウンロード数35億を突破したアプリは、アメリカのMeta社製以外では初めてのことです。

2022年のアメリカでの成人を対象とした調査では、1日あたりのSNS利用時間で長年1位だったユーチューブを超え、首位に立ちました。また近年、注目を集めるネットフリックスとの比較においても、グローバルの累計視聴時間では2倍以上の差をつけている、というデータもあります。

なぜこのアプリが急速に世界に広まったのか、本書ではその要因を明確に2つ挙げています。動画の長さと、動画を提供する際のアルゴリズムです。

なお、マサチューセッツ工科大学（MIT）の科学情報誌「MITテクノロジーレビュー」では、2021年度「世界を変える10大テクノロジー」に「新型コロナウイルスワクチン」とともに「ティックトックの〝おすすめ〟アルゴリズム」が選ばれており、AI搭載アプリという際立った特徴は世界で注目を集めています。

一方、その運営企業に注目すると、ジャン・イーミンがバイトダンスを創業したのは2012年。たった10年ちょっとの歩みで、この世界的な成功を収めたのは、類を見ないほどの勢いと言えます。企業評価額は3000億ドルに迫り、世界のユニコーンランキングではダントツの1位を誇りました。実際、２０１８年以降はダウンロード数1位を保持し続けており、２０２２年の売上高は８００億ドルを超える急激な右肩上がりを見せ、その勢いはアメリカのＳＮＳと比較しても顕著で、とどまることを知りません。

そんな状況からすると、本書は満を持して語られる「バイトダンス」のサクセスストーリーなのだろう、と考えられるかもしれません。これまでにも人気を博した、アップルやグーグル、フェイスブックのような、若者による起業物語なのか、と。

しかし、そうではありません。なぜ違うのか。その理由は、このＳＮＳがアメリカ・シリコンバレー製ではなく、世界を席巻した初めての中国製アプリだからです。その運営が中国企業だからです。

この人気の勢いは、まもなく西側諸国とのトラブルを引き起こしました。ＳＮＳアプリとしての世界的な展開は無視できないものとなり、いつしか政治問題へと発展していきます。今年に入っても、3月には、ショウ・ジ・チュウＣＥＯがアメリカの公聴会に呼ばれ、自由や人権、革新といったアメリカ的価値観を尊重しているかを問われるなど、現在も一企業とアメリカ政府との激しい攻防は続いています。

これがアメリカ企業のアプリであったなら、また新たな起業物語としてその一つに加えられていたはずですが、同じような世界的成功を収め、しかもシリコンバレー製をしのぐ急成長を見せるティックトックにおいては、また別の物語が必要となってくるのは当然です。

本書では、「シリコンバレーの覇権を脅かす中国初のグローバルプラットフォームの台頭」という大きな物語を紡いでいきます。そのなかで、なぜ中国企業が世界中を熱狂させるアプリを開発できたのか？　それはどのようにして実現したのか？　また同時に、なぜここまで批難されるのか？　という点に迫ろうとしています。

具体的に語られるエピソードは、ＳＮＳの最前線からプロモーション戦略、中国企業の実際の労働環境、スター誕生の実例、アメリカ国内での使用反対の動きなど、さまざまな分野に及び、デジタル革命による世界の変化に触れることができます。その結果、本書は「一企業の成功物語」という枠に収まる完結した物語ではなく、「世界の未来」の分岐点ともなる、現在進行形の出来事そのものではないでしょうか。

本書の著者はイギリス人フリーランスのテクノロジージャーナリスト、クリス・ストークル・ウォーカーです。偶然参加したティックトックのイベントでその熱狂ぶりを体験し、またジャーナリストとして、アメリカ政府、特にトランプ前大統領とティックトックとの攻防を目の当たりにしたこともあり、本書を著しました。

本書の大きな特徴は、著者がティックトックとバイトダンスに関わる多くの人々に取材を重ね、その強さの秘密に多面的に迫っていることです。取材先はティックトック・イギリスのゼネラルマネジャーや音楽事業部責任者、バイトダンス広報社員や名前を伏せた現また元社員、ユーチューブ幹部や匿名の欧州大物政治家など、実に多岐にわたり、興味深い実態が引き出されています。

イギリスにおけるティックトック音楽事業部長の話では、ティックトックユーザーの5人中4人が新しい音楽を見つけるために、このアプリにアクセスするそうです。ティックトックと音楽業界は今や相補的関係にあり、アプリ側には、音楽界から送られてきた新たなレコードに、胸に刺さる楽曲（小節）はあるか、それはウイルスのように人に感染し、心に浸透していけるか、かぶせる動画はどれがいいか、を見極める仕組みもあり、新たなスター誕生に一役買っています。

さらに、ティックトック生みの親、ジャン・イーミンにも触れておきましょう。1983年生まれなので、今年（2023年）40歳。本書の終盤で示唆されていましたが、ティックトックのC

ＥＯを辞め、その後、昨年は起業して11年しか経っていないバイトダンスのＣＥＯも辞め、引退してしまいました。バイトダンスでは、40歳はすでに老害になっているからというのが理由だそうです。

世界を席巻しているティックトックをめぐっては、さまざまなストーリーがあります。電子機器に慣れていない地域の人たちにも扱いやすく、新型コロナウイルスのために在宅を余儀なくされたインテリ層にも広がり、２億人という突出したユーザー数を獲得したのはインドでした。しかし、古い価値観がどっしりと根付いている国には目新しすぎる情報（モラル）をアプリが持ち込んだせいか、拒否反応が起きて突如禁止。地政学的理由もあると著者は分析しています。

また、ある朝、俳優シュワルツェネッガー72歳は自分でトレーニング風景を投稿。世界的大スターによる宣伝にもかかわらず、その広告費はゼロでした。

さらに、フォロワー数の多い、スター性のある投稿者の例。サッカーでスポーツ奨学金を約束されていたアメリカ人の青年は、ティックトックでの平均再生回数が６３０万回にも。進路に選んだのは大学ではなく、ソーシャルメディアでした。

16年間、ヒットらしいヒットのなかった２人の女性歌手はティックトックで曲が使われたことによって、一気にスターへと上りつめました。

2022年、世界で最もダウンロードされたアプリが「ティックトック」です。そこに集まる膨大な情報の管理をめぐって、また国家的リスクについては、シリコンバレーとの対比からも、今後も議論が巻き起こり検討されていくでしょう。しかし、中国のIT技術の高さを知った今、西欧が理想とする保障と安全性を融合させる機会があってもいいのではないか、このアプリとはいったい何なのか、じっくり考えてみませんかと著者は訴えます。

「はじめに」で著者が書いているとおり、「歴史はまさに私たちの目の前で起きている」状況です。このアプリの世界的な人気ぶりは、私たちが重大な変化の先端にいるかもしれないことを物語っているようです。

訳出の機会をいただき、大変お世話になりました小学館集英社プロダクションの木川禄大様に心より感謝申します。

著者クリス・ストークル・ウォーカー氏のティックトック研究の一層の深化を心よりお祈り申します。

訳者

著者

クリス・ストークル・ウォーカー（Chris Stokel-Walker）

『The New York Times』『WIRED』『The Economist』『Newsweek』『New Scientist』『The Guardian』などで活躍するイギリス人ジャーナリスト。

おもにユーチューブに関するニュースを伝えることで知られている。世界中のユーチューバーを取材し、関連のイベントに参加しながら、テレビやラジオ、ポッドキャストでユーチューブを頻繁に取り上げている。他の著書に『YouTubers』がある。

www.stokel-walker.com

訳者

村山寿美子（むらやま・すみこ）

翻訳者。千葉大学薬学部卒業。

おもな訳書に『ブレインハック』『直感のちから 幸せな人生へ導くスピリチュアル・ガイド』（小社）、『新・男と女を生み分ける法』（主婦の友社）、『子どもの成長は、6歳までの食事で決まる』（PHP研究所）、『トラウマ』（講談社）などがある。

最強AI　TikTokが世界を呑み込む

2023年7月21日　初版第1刷発行

著　　者　クリス・ストークル・ウォーカー
訳　　者　村山 寿美子

発 行 者　神宮字 真
発 行 所　株式会社 小学館集英社プロダクション
東京都千代田区神田神保町2-30 昭和ビル
編集　03-3515-6823
販売　03-3515-6901
https://books.shopro.co.jp
印刷・製本　大日本印刷株式会社

ブックデザイン　山之口正和＋齋藤友貴（OKIKATA）
本文組版　朝日メディアインターナショナル株式会社
校　　正　株式会社 聚珍社
編　　集　木川禄大

Printed in Japan
ISBN978-4-7968-8045-9